Dipl. Phys. Sabine

CW00864318

Die Logik der Gefühle

Bibliografische Information der Deutschen Nationalbibliothek:

Die Deutsche Nationalbibliothek verzeichnet diese Publikation

In der Deutschen Nationalbibliografie; detaillierte bibliografische

Daten sind im Internet über http://dnb.dnb.de abrufbar.

© 2018 Sabine Adolph

Herstellung und Verlag:

BoD – Books on Demand, Norderstedt

ISBN: 978-3-7448-94180

Die Krise unserer Gesellschaft, ist eine Krise unserer Wahrnehmung.

Ken Wilber

Inhaltsverzeichnis

Unser heutiges Weltbild ist geprägt von den Erkenntnissen und der Methodik der Naturwissenschaften. Da alle Naturwissenschaften aus der Physik hervorgegangen sind (von altgriechisch φύσις *phýsis,* Natur), wird die Physik häufig als grundlegende oder fundamentale Naturwissenschaft aufgefaßt. In der Absicht die zugrunde liegenden Gesetzmäßigkeiten der Natur zu erkennen und unsere Welt in der wir leben zu beschreiben, befaßt sich die Physik mit der Beobachtung und wissenschaftlichen Erforschung der Naturvorgänge, insbesondere mit Materie und Energie und deren Wechselwirkungen in Raum und Zeit.

Die erforschten Gesetzmäßigkeiten der Natur werden experimentell in Form von reproduzierbaren Messungen geprüft (Experimental Physik) und finden ihre Anwendung in der Technik. Da allen Naturvorgängen die Logik zugrunde liegt, bedient sich die Physik bei der Formulierung von Theorien und Gesetzen (theoretische Physik) der Methoden der Mathematik und der Logik. Die Naturgesetze und deren logische Verknüpfungen (Wechselwirkungen) untereinander, erlauben somit auch die Vorhersage des Verhaltens von Systemen der Natur und der Technik.

Allen Wissenschaften und Naturwissenschaften gemeinsam, ist die Vorgehensweise der Analyse. Die Analyse ist eine systematische Untersuchung, wobei das untersuchte Objekt oder Subjekt (oder der zu untersuchende Naturvorgang) in seine Bestandteile zerlegt wird und diese Bestandteile anschließend geordnet, untersucht und ausgewertet werden.

Das Analysieren (Auseinandernehmen) zeigt sich unter Anderem darin, daß die Naturwissenschaften in immer mehr Zweige aufgespalten wurden (aus der Physik sind immer mehr Naturwissenschaften entstanden. Die Ursprünge der Physik liegen wiederum in der Philosophie. Die Philosophie (griech. *philosóphia,* wörtlich „Liebe zur

11

Weisheit") ist die Wissenschaft, die sich mit dem Verständnis und der Deutung der Welt und der menschlichen Existenz befaßt.

Durch die Vorgehensweise der Analyse sind wir einerseits überhaupt erst befähigt die Logik in immer abstrakteren Bereichen (z.B. Relativitätstheorie und Quantenphysik) anzuwenden und somit die Geheimnisse des Universums zu entschlüsseln. Auf der anderen Seite sind wir oft so mit den Details beschäftigt, daß wir nicht mehr in der Lage sind das Gesamtkonzept zu überblicken und die übergreifende Logik zu erfassen. Für die Analyse der Details betrachten wir gewöhnlich die Dinge mit dem Verstand (und kurioserweise bringt uns die Relativitätstheorie und die Quantenphysik um den Verstand). Trotz unseres hoch entwickelten Verstandes ist es uns nur möglich einen Teilaspekt des Gesamten zu betrachten, wobei uns die Zusammenhänge verloren gehen.

Gibt es eine Möglichkeit, sowohl die Details als auch die großen Zusammenhänge unserer Welt zu betrachten, so daß wir in der Lage sind, mehr als nur einen Ausschnitt der Wirklichkeit zu sehen und zu verstehen?

Welche Methodik ermöglicht eine übergreifende, integrierende und globalere Wahrnehmung, als die, die uns zu unserem derzeitigen Weltbild und der Technik verholfen hat? Der Schlüssel hierzu liegt in den, im westlichen Denken vielfach vergessenen Gefühlen. Das Gefühl wird für gewöhnlich dem Weiblichen, dem Schwachen zugeordnet und hat allenfalls im Privatleben z.B. in Form von Kunst einen Raum.

In den Naturwissenschaften spielen die Gefühle keine Rolle. Das liegt daran, daß die Naturwissenschaften den Anspruch der Objektivität haben und Gefühle als subjektiv gelten.

Wenn ich z.B. meine Hand erst in 10°C kaltes Wasser tauche und danach in 20°C warmes Wasser, dann habe ich den Eindruck, daß das 20°C warme Wasser wärmer wäre als eben 20°C. Ich werde einen kühleren Eindruck des 20°C warmen Wassers erhalten, wenn ich meine Hand vorher in noch wärmeres Wasser z.B. 30°C warmes Wasser gehalten habe. Objektiv werde ich die Temperatur des Wassers über mein Gefühl nicht ermitteln können. Nun werde ich nicht nur die Temperatur, sondern keine physikalische Größe (Stromstärke, Lichtstärke, Spannung, Magnetfeld...) objektiv über meine fünf Sinne ermitteln können. Deswegen bedienen sich die Naturwissenschaften auch „objektiven" Meßinstrumenten. Wie wir allerdings aus der Quantenphysik wissen, beeinflußt der Beobachter das Meßinstrument, somit ist auch das Meßinstrument nur scheinbar objektiv.

Nun bezeichnet ein Gefühl einerseits mindestens eines der fünf Sinne und andererseits wird mit dem Wort „Gefühl" aber auch die Intuition benannt.

Intuition wird derzeit noch als zufällig und demnach nicht immer verfügbar angesehen.

Interessanterweise verlassen sich die größten Denker unserer Zeit auf ihre Intuition und wissen somit im voraus ob eine Theorie stimmt oder nicht. Vielfach träumen Wissenschaftler auch, eben bei abgeschaltetem Verstand, von der lang gesuchten Lösung eines ungelösten Problems.

Wie kann man sich erklären, daß sich über die Intuition oft viel schneller und leichter (ohne soviel Energieaufwand) die gesuchte Lösung finden läßt als über den Verstand?

Was ist eigentlich Intuition, wie entsteht diese, wie objektiv ist die Intuition und wie kann die Intuition jederzeit für uns verfügbar sein?

Um die Intuition verstehen zu können müssen wir erst einmal generell in einem logischen Kontext Gefühle betrachten. Was sind Gefühle? Wie entstehen Gefühle? Sind Gefühle grundsätzlich subjektiv? Wie funktioniert im Unterschied dazu der Verstand?

Gefühle und Logik scheinen Gegensätze zu sein. Mit Gefühlen verbindet man eher ein beliebiges, keinen Gesetzmäßigkeiten gehorchendes, chaotisches Gebilde, welches rein zufällig quasi aus dem Nichts entsteht und auch ins Nichts vergeht. Dieses Gebilde scheint formlos und wenig greifbar zu sein.

Andere Kulturkreise (z.B. die alten Ägypter, der Buddhismus, Hinduismus, Schamanismus) und auch westliche, sowie östliche Philosophen sehen generell die Gefühle genauso als Teil unserer Welt an und demnach sind Gefühle auch genauso wahr, wie die uns umgebende Materie und reines Faktenwissen.

Fakt ist, daß Gefühle ein Teil unserer Welt sind und als solche müssen Gefühle genauso logisch betrachtet werden, wie alle anderen Naturvorgänge, weil allen Naturvorgängen die Logik zugrunde liegt!!

Es ist uns nicht bewusst, daß Gefühle für unser gesamtes Leben essentiell sind. Letztendlich ist alles Gefühl und somit ist auch alles über das Gefühl beeinflußbar oder gestaltbar. Gefühle entscheiden also über Unglück und Glück, über Krankheit und Gesundheit. Krankheit ist letztlich auch "nur" ein Gefühl, welches sich körperlich z.B. in Form von Schmerzen äußert. Verstehen wir unsere Gefühle, so verstehen wir die Ursache für unsere Krankheiten, so daß wir auf einer ganzheitlichen Ebene Heilung erfahren können. Eine Veränderung in der Gefühlswelt ist mit Kenntnis der Gesetzmäßigkeiten leichter zu bewerkstelligen, als eine Veränderung in der gegenständlichen, materiellen Welt, so daß wir dadurch erleben können, wie der sprichwörtliche Flügelschlag eines Schmetterlings einen Tornado auf der anderen Seite der Erde auslösen kann.

Mit Hilfe des Gefühls ergibt sich zusätzlich die Möglichkeit die Zusammenhänge, der in den Naturwissenschaften bereits erforschten Details zu ergründen, und somit einen wesentlich umfassenderen Überblick über die Welt in der wir leben zu erlangen. Durch die daraus entstehende veränderte Wahrnehmung lassen sich andere Chancen und Möglichkeiten sehen und ergreifen, die für uns persönlich

14

und für uns als Spezies im Zuge der globalen Herausforderungen wichtig sind.

Das vorliegende Buch soll die logischen Gesetzmäßigkeiten der Gefühle und die damit verbundenen Chancen für eine globale, übergreifende Wahrnehmung aufzeigen.

Bei der Beschreibung der logischen Gesetzmäßigkeiten der Gefühle werde ich weitgehend von unserem physikalischen Weltbild ausgehen, wobei ich einige kurze physikalische Zusammenhänge und Formeln benutzen werde. Diese physikalischen Exkursionen braucht der Leser nicht in seiner vollen Breite nachzuvollziehen. Das Anliegen des vorliegenden Buches ist es eher über physikalische Betrachtungen einen logischen Zugang zur Gefühlswelt zu schaffen, somit ist der Leser eher gefragt die Strukturen innerhalb der Gefühlswelt über sein Gefühl zu erfassen.

1. Was ist ein Gefühl?

Ein **Gefühl** bezeichnet einerseits mindestens eines der **fünf Sinne**. Die visuelle (Sehen), auditive (Hören), olfaktorische (Riechen), gustatorische (Schmecken) und haptische Wahrnehmung (die Erkundung von Oberflächenbeschaffenheit (Struktur, Textur) und Temperatur). Andererseits wird mit dem Wort „Gefühl" aber auch eine **Intuition** benannt, welche grundsätzlich anders entsteht, als ein Gefühl, das über mindestens eines der fünf Sinne wahrgenommen wird.

1.1 Was genau nehmen wir eigentlich mit unseren fünf Sinnen wahr?

Um diese Frage beantworten zu können tauchen wir kurz ein in die Welt der Schwingungen oder Wellen. Alles ist Schwingung. Eine Schwingung bezeichnet die zeitliche Abfolge eines bestimmten periodischen Prozesses. Diese zeitliche Abfolge wiederum wird durch die Frequenz ν definiert.

Über unsere Ohren können wir minimale mechanische Deformatio-
nen, die sich wellenförmig beispielsweise in der Luft und auch in
anderen Medien ausbreiten, wahrnehmen.

Unsere Augen sind Empfänger für elektromagnetische Wellen, die
von Gegenständen reflektiert werden. Dabei trifft beispielsweise Son-
nenlicht auf einen Gegenstand und wird von diesem in unser Auge
reflektiert. Hierbei können unsere menschlichen Augen nur Wellen
innerhalb des sichtbaren Bereichs des elektromagnetischen Spektrums
wahrnehmen. Jede Welle hat eine bestimmte Frequenz. Innerhalb des
sichtbaren Bereichs des elektromagnetischen Spektrums entspricht
ultraviolettes Licht einer hohen Frequenz und infrarotes Licht einer
tiefen Frequenz. Andere Lebewesen, z.B. Bienen nehmen eher ultra-
violette Frequenzen wahr als wir Menschen. Für die Bienen sieht die
Welt also völlig anders aus, als für uns.

In der Quantenmechanik wird dem Energieträger der elektromagnetischen Welle, dem Photon der Energiewert $E = h \cdot v$ zugeordnet, wobei h eine Konstante (das Planck'sche Wirkungsquantum) und v die
Frequenz ist. Diese Formel $E = h \cdot v$ bedeutet, dass die Energie gleich
der Frequenz ist! Im Verlauf des vorliegenden Buches wird also die
Frequenz oder Schwingung immer gleichbedeutend mit dem Begriff
der Energie verwendet.

Selbst über unseren Tastsinn nehmen wir Schwingungen wahr. Ein-
stein lehrte uns mit seiner Formel $E = m \cdot c^2$, dass die Masse einer
Energie entspricht. Wir nehmen also bei einem Objekt, welches eine
Masse besitzt, haptisch die Energie des Objektes wahr.

Beim Riechen und Schmecken werden kleinere Partikel über die Nase
wahrgenommen außer bitter, salzig, süß und sauer, welches durch
einen chemischen Prozess in der Mundschleimhaut entsteht. Der
chemische Prozess auf der Mundschleimhaut ist nur die Wirkung der
ursprünglichen Energie eines Partikels. Wir wissen aus der Physik
(String Theorie), dass jedem Partikel eine Schwingung innewohnt,

16

letztlich eine Schwingung ist. Beide Prozesse, sowohl das Riechen als auch das Schmecken, sind also auf kleinste Partikel bzw. deren Energie zurückzuführen, die wir durch die Nase oder durch die Mundschleimhaut wahrnehmen.

Alles was wir überhaupt wahrnehmen können, sind letztlich Schwingungen. Alles ist Licht! Diese Schwingungen stellen zeitliche Abfolgen bestimmter periodischer Prozesse dar und werden über die Frequenz ν definiert. Wie wir gesehen haben ist die Frequenz ν gleichbedeutend mit der Energie E. Das Spektrum der Schwingungen ist unendlich groß. Wir können über unsere fünf Sinne nur einen kleinen Teil des Spektrums der Schwingungen wahrnehmen. Mit unseren Augen nehmen wir lediglich Schwingungen des sichtbaren Bereiches des elektromagnetischen Spektrums wahr. Mit unseren Ohren lassen sich nur longitudinale Schwingungen innerhalb eines kleinen klar umgrenzten Bereiches erfassen.

Durch diese Schwingungen oder Energien, die wir über unsere fünf Sinne wahrnehmen können, erfahren wir unsere äußere Welt.

Unsere Gefühle sind an unsere fünf Sinne gekoppelt und unsere fünf Sinne nehmen Schwingungen einer bestimmten Frequenz ν wahr.

Allerdings lässt sich über unsere fünf Sinne nur ein geringer, oberflächlicher Teil unserer Welt erfassen und des Weiteren sind diese Gefühle eher grober Natur. Wenn ich also gegen einen Tisch laufe, dann werde ich das sehr deutlich spüren können. Intuitive, feinere Gefühle, wie zum Beispiel das Gefühl ob ich einer bestimmten Person vertrauen kann oder nicht, lassen sich nicht mit unseren fünf Sinnen wahrnehmen. Die Intuition lässt sich nur über unser Energiesystem verstehen.

Unser Energiesystem ermöglicht also tiefere Einblicke in die Welt der Gefühle.

2. Das Energiesystem des Menschen

Der menschliche Körper verfügt nicht nur über einen Blutkreislauf, ein Lymphgefäßsystem, ein Nervensystem und ein Endokrinsystem, sondern zusätzlich noch über ein Energiesystem, welches sich nicht nur durch den Körper zieht, sondern auch um den Körper herum macht sich das Energiesystem durch das Vorhandensein eines physikalischen Feldes bemerkbar. Dieses physikalische Feld ist grundsätzlich mehrdimensional, holographischer Natur und besteht unter anderem aus einem elektromagnetischen Skalar- und Transversalfeld. Bisher wurde nur das elektromagnetische Transversalfeld unseres Energiesystems gemessen.

Diese Energie, die durch unseren Körper hindurch und um unseren Körper herum vorhanden ist, ist die Lebensenergie. Wie der Name schon ausdrückt, befindet sich die Lebensenergie in und um jedes Lebewesen und ist unabdingbar für die Erhaltung und Entwicklung des menschlichen bzw. jeden Lebens.

Dieses Energiesystem besteht aus drei Komponenten:

1. Dem feinstofflichen Körper (Energiekörper)
2. Den Chakren (Energiezentren),
3. Den Nadis (Sanskrit: „Gefäß, Röhre oder Ader") (Energiekanälen)

18

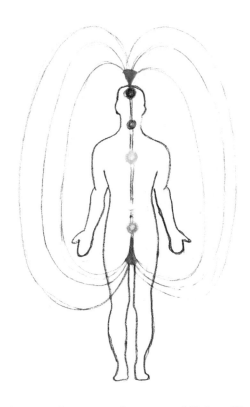

Abb. 1: Energiesystem des menschlichen Körpers

Es gibt 8 Hauptenergiezentren - 8 Hauptchakren, die entlang einer vertikalen Achse an der Körpermitte liegen. Davon befinden sich sieben Chakren im Körper und das achte Chakra ca. 10 cm über dem Kopf. Die Chakren sind trichterförmig, wobei der untere, dünne Teil des Trichters direkt mit der Wirbelsäule (Zentralnervensystem) verbunden ist, und der Trichter sich vom Körper weg hin öffnet (siehe Abb. 2).

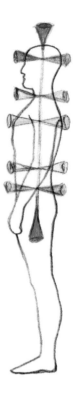

Abb. 2: Anordnung und Farbe der trichterförmigen Chakren

Im Idealzustand schwingt jedes Chakra in einer für das Chakra charakteristischen Frequenz (das soll auch die Farbe der Chakren in der obigen Abbildung (Abb. 2) darstellen), wobei die Übergänge zwischen den Farben fließend sind. Diese Farben sollen das holographische physikalische Feld repräsentieren, umfassen demnach also vielmehr als den sichtbaren Bereich des elektromagnetischen Spektrums. Somit sind die Farben der Chakren auch nicht für unsere Augen sichtbar.

Dennoch kann man die Funktionsweise des Energiesystems am Besten über das sichtbare Spektrum erklären, deshalb beschränken wir uns für das Folgende der Einfachheit halber auf den sichtbaren Bereich des elektromagnetischen Spektrums.

20

Das Chakra mit der niedrigsten Frequenz (rot) wendet sich der Erde zu und nimmt die Frequenz der Erde auf, wobei das Chakra mit der höchsten Frequenz (violett) sich dem Universum zuwendet und die Schwingung des Universums aufnimmt (das achte Chakra ist weiß). Die dazwischenliegenden Chakren bestehen aus einem vorderen und einem hinteren Teil. Der sich nach vorne öffnende Teil repräsentiert die rezeptive, passive, empfangende, den inneren Fluss zulassende, weibliche Qualität der Energie (YING)). Der sich nach hinten öffnende Teil repräsentiert die assertive, aktive, selbstbehauptende, auf Selbstausdruck gerichtete, männliche Qualität der Energie (YANG).

Die Chakren erfüllen zwei unterschiedliche Aufgaben: das Transformieren (umwandeln) und das Empfangen oder Abgeben der Lebensenergie (Chi). Die Chakren nehmen also aus der Umgebung eine Frequenz (bzw. ein Frequenzgemisch) auf und transformieren die Frequenz in eine Energie.

Die Frequenzaufnahme oder -abgabe der Chakren erfolgt durch eine Drehbewegung. Dreht sich das Chakra im Uhrzeigersinn, erzeugt es einen Sog nach Innen und nimmt so Frequenzen auf. Dreht sich das Chakra entgegen dem Uhrzeigersinn, gibt es entsprechend Energie in Form eines bestimmten Frequenzbereiches ab. Insgesamt strahlt also der Körper über alle sieben Chakren ein Frequenzgemisch aus.

Ähnlich wie das Blut durch unsere Blutgefäße, kann diese Energie über die Nadis durch das feinstoffliche Energiesystem transportiert, und an die verschiedenen Bereiche des Körpers, weitergeleitet werden. Die Nadis stellen also eine Art feinstofflicher Blutgefäße dar.

Die Chakren sind untereinander mit 14 Hauptnadis (also quasi den Hauptschlagadern) verbunden. Ansonsten wird unser Körper noch von tausenden kleineren Nadis durchzogen.

Auf den Nadis befinden sich auch die Akkupunkturpunkte. Die Akkupunkturpunkte kann man sich als kleine Schalter vorstellen. Blockiert ein Nadi die Weiterführung der Energie, so kann mit Akkupunkturnadeln, welche in die blockierten Stellen hineingestochen werden, der Schalter umgestellt werden. Nach dem Herausziehen der Akkupunkturnadel kann der vorher blockierte Nadi die Energie wieder weitertransportieren.

2.1 Wie wird die Energie durch das Energiesystem bewegt?

Je zwei der insgesamt sieben Chakren weisen im Idealzustand Komplementärfarben auf (rot/türkis, orange/blau, gelb/violett). Komplementärfarben haben die Eigenschaft zu schwingen. Wie in der folgenden Abbildung zu sehen ist.

Abb. 3: Darstellung des Schwingens anhand der Komplementärfarben Blau und Rot.

Wenn wir uns einmal unterschiedliche Farbkreise anschauen (Abb. 4a und Abb. 4b), dann fällt auf, dass je nach gewähltem Farbkreis unterschiedliche Farben als Komplementärkontraste ausgewiesen werden. Das heißt, in dem einen Modell wird z.B. rot/grün als Komplementärkontrast ausgewiesen, in dem anderen Model ist es eher rot/türkis. Letztendlich ist es nicht so ausschlaggebend ob die jeweiligen Farben komplementär zueinander stehen. Wenn man nämlich eine leuchtende Farbe z.B. rot auf einem grauen Hintergrund darstellt, dann scheint das Rot auch zu schwingen, es kommt also darauf an, dass die Farben eine gewisse Leuchtkraft aufweisen.

Abb. 4a: Zwölfteiliger Farbkreis nach Johannes Itten (1961), Abb.4b: Das Basisschema der Farbenlehre nach Harald Küppers (1976), (aus Wikipedia, © CC BY-SA 3.0)

Entscheidend für die Bestimmung eines Komplementärkontrastes ist der Abstand der jeweiligen Komplementärfarben auf der Farbskala. Dies schauen wir uns ebenfalls am Besten an Hand des sichtbaren Spektrums an.

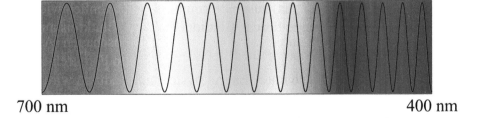

700 nm   400 nm

Abb. 5: Sichtbares Spektrum

23

In der Mitte des optischen Spektrums befindet sich die Farbe grün. Grün ist die Farbe in der wir die meisten Nuancen wahrnehmen können. Das Herzchakra ist grün und befindet sich in der Mitte der Chakrenanordnung. Unterhalb des Herzchakras sind drei Chakren und oberhalb des Herzchakras sind drei weitere Chakren. Schauen wir uns in der obigen Abbildung einmal die Lage der Farbkontraste (z.B. gelb/violett und rot/türkis) genauer an, dann fällt auf, daß

- die Farbkontraste immer den gleichen Abstand zueinander haben (also der Abstand zwischen gelb und violett ist der gleiche wie zwischen rot und türkis)

- eine Farbe des jeweiligen Farbkontrastes links von grün, und die andere Farbe des jeweiligen Farbkontrastes rechts von grün, zu finden ist

- Befindet sich die eine Farbe des Farbkontrastes (z.B. gelb) relativ dicht an dem grünen Bereich des Spektrums, so befindet sich der Komplementärkontrast dieser Farbe (in dem Falle violett) weiter entfernt von dem grünen Bereich des Spektrums, also auf der anderen Seite des grünen Bereiches.

Übertragen wir das auf das Chakrensystem, können wir sagen, dass im Idealzustand die Energie durch das Energiesystem vom Herzchakra ausgehend durch das Schwingen der komplementär zueinander stehenden Chakren (eines oberhalb des Herzchakras und eines unterhalb des Herzchakras) zustande kommt. Das ist ähnlich wie das Herz, welches als Pumpe für das Blut innerhalb des Blutkreislaufes dient.

Insgesamt schwingt also unser Energiesystem und dadurch wird Energie durch den Körper bewegt. Die Energie breitet sich wellenförmig in unserem Körper, aber auch in unserer Umgebung aus. Eine Welle wird durch ihre Frequenz und ihre Amplitude (Höhe/Intensität des Ausschlages) beschrieben.

24

2.2 Welcher Zusammenhang besteht zwischen unserem Energiesystem und unseren Gefühlen?

Unser Energiesystem besteht also aus 8 Hauptenergiezentren -den Chakren. In den Chakren wird die außerhalb des Körpers vorhandene Energie individuell für den jeweiligen Körper verarbeitet, transformiert. Die Energie wird durch die einzelnen Nadis an jede Körperzelle weitergegeben. Nun sind die Chakren nicht nur untereinander verbunden, sondern stehen auch mit dem Endokrinsystem und dem Zentralnervensystem in Interaktion mit dem physischen Körper. Jedes der sieben Chakren ist mit je einer der sieben endokrinen Drüsen und auch mit einer Nervengruppe, die Plexus genannt wird, verknüpft. Durch die Verbindung der Chakren mit dem Zentralnervensystem, können die Energien, die von außen aufgenommen werden, körperlich in Form von Gefühlen wahrgenommen werden. Unser Zentralnervensystem wird also von äußeren Energien gereizt. Dies äußert sich in Gefühlen. Für uns, bzw. für alle Lebewesen, sind Energien also gleichbedeutend mit Gefühlen.

Da Energien auch über die Ferne wahrnehmbar sind, merken wir bereits aus einer Distanz heraus, rein energetisch, ob jemand beispielsweise unglücklich oder traurig ist. Wir können diese Energien, die von jemandem ausgehen, dadurch wahrnehmen, daß unsere Chakren Energie aus der Umgebung aufnehmen. Über die Verbindung unserer Chakren mit unserem Zentralnervensystem haben wir einen gefühlsmäßigen Eindruck von der Gefühlsverfassung eines anderen Lebewesens oder einer bestimmten Situation. Dadurch, daß unser Zentralnervensystem natürlich auch mit unserem Gehirn verbunden ist, kann sich dieser gefühlsmäßige Eindruck auch in Gedanken, Bildern oder Gerüchen ausdrücken. Dazu vielleicht ein Beispiel:

Sie gehen in einem Park spazieren und sehen schon aus der Ferne eine Freundin auf der Parkbank sitzen. Ihnen fällt auf, daß sie so zusammengesunken dasitzt und damit irgendwie kleiner wirkt als sonst, fast hätten Sie Ihre Freundin nicht erkannt. Sie fragen sich, warum Ihre Freundin mit hängenden Schultern dasitzt und da die Entfernung noch zu groß ist, und Sie Ihre Freundin nicht fragen können, fangen Sie an die Situation intuitiv, also über Ihre Chakren wahrzunehmen. Sie nehmen also die Energie, die von Ihrer Freundin ausgeht, über Ihre Chakren auf und verarbeiten diese. Bei diesem Prozess erinnern Sie sich möglicherweise daran, wie Sie Ihre Freundin in einer ähnlichen Situation schon einmal erlebt haben. In Bruchteilen von Sekunden, werden dabei in Ihnen die Bilder, Eindrücke der damaligen Situation wieder abgerufen. Sie versuchen im Vorwege, vor einem Gespräch, herauszubekommen, in welcher Verfassung Ihre Freundin wohl sein mag. Sie versuchen, die Situation einfach aus der Ferne einzuschätzen, um auch eine mögliche Herangehensweise zu haben, um also möglichst adäquat auf die Situation eingehen zu können. Ist Ihre Freundin traurig, bedrückt oder einfach nur nachdenklich. Wenn sie traurig ist, was könnte der Auslöser dafür sein?

Mit unserem Energiesystem nehmen wir also Energien von außen auf und durch die Verbindung unseres Energiesystems mit unserem Zentralnervensystem äußern sich diese Energien in Gefühlen. Da wir jetzt wissen, daß Energien gleichzusetzen sind mit Frequenzen, können wir sagen, daß wir niedrigschwingende Energien, also niedrige Frequenzen als eher unangenehm (Trauer, Depressivität, Wut), und hochschwingende Energien, also hohe Frequenzen als eher angenehm (Glück, Liebe) empfinden! Wir verfügen also mit unserem Energiesystem, mit unseren Chakren, über ein fein abgestimmtes Energiedetektorsystem. Wir können unser Energiesystem generell als ein schwingungsfähiges Gebilde betrachten. Wir bemerken nicht nur Energien von außen, sondern unser Energiesystem reagiert auch auf unsere eigenen Gedanken und Gefühle, die wir in uns tragen. Wenn ich an einen geliebten Menschen denke, werden diese Gedanken andere Gefühle in mir auslösen, als wenn ich möglicherweise an meinen Chef denke, der mich heute ein wenig geärgert hat. Ich kann auch an eine wunderschöne Landschaft denken, oder an eine Autobahn und werde jeweils unterschiedliche Gefühle haben.

Des Weiteren sind auch unsere bisherigen Erfahrungen maßgeblich für unsere Gefühle. Wenn wir beispielsweise traumatische Erfahrungen gemacht haben und an diese vergangenen Ereignisse in der jetzigen Situation erinnert werden, dann werden wir gefühlsmäßig wieder in das traumatische Ereignis hineingezogen und erfahren die gleichen Gefühle, wie während des Ereignisses. Dazu später mehr (Kapitel 9).

Wie schon kurz angedeutet sind die Chakren nicht nur mit dem Zentralnervensystem, sondern auch mit den endokrinen Drüsen verbunden. Dadurch bestimmen die Energien also die Gefühle auch die Hormonausschüttung und damit letztlich die gesamte Chemie in unserem Körper. Die Hormone entscheiden ob wir glücklich sind oder depressiv. Eine besonders starke Hormonausschüttung erleben wir, wenn wir beispielsweise verliebt sind.

Dadurch, daß also die Chakren mit den endokrinen Drüsen und dem Zentralnervensystem verbunden sind, lassen sich unterschiedliche Gefühle an bestimmten Teilen des Körpers wahrnehmen. Beispielsweise haben wir eine sprichwörtliche Wut im Bauch, oder wir fühlen uns von jemandem geärgert, daß wir einen dicken Hals bekommen. Diese Wut oder der gestaute Ärger im Hals beeinträchtigen natürlich auch unsere Körperfunktionen. In dem Falle äußern sich diese Gefühle vielleicht in Form von Verdauungsbeschwerden, mögliche Schluckprobleme oder Beschwerden der Schilddrüse.

Durch die Verbindung der Chakren mit den endokrinen Drüsen und dem Zentralnervensystem können somit nicht nur unterschiedliche Gefühle über die einzelnen Chakren mit bestimmten Teilen des Körpers und auch mit bestimmten Körperfunktionen, die von dem jeweiligen Plexus oder der endokrinen Drüse kontrolliert werden, verbunden werden, sondern es gilt auch der Umkehrschluß, der uns erlaubt von körperlichen Symptomen auf die Chakren und damit auf das Energiesystem (Gedanken, Gefühle, Erfahrungen) des Menschen zu schließen.

Unser gesamtes Energiesystem weist also charakteristische Energiemuster in Form von Erfahrungen, Gedanken und Gefühlen auf.

Alle Gefühle, alles was ein Mensch erfahren kann, kann also in sieben Kategorien aufgeteilt werden. Jede Kategorie kann mit einem
bestimmten Chakra verbunden werden.

Chakra 1 rot

Ängstlichkeit als Grundgefühl, Freudlosigkeit, Einsamkeit, Gefühl
fehlender Sicherheit (starkes Sicherheitsbedürfnis), Misstrauen, Depression, Burn-Out-Syndrom, existenzielle Ängste, Phobien, Mangelgefühle, Gier, Orientierungslosigkeit, allgemeine Hilflosigkeit gegenüber den Herausforderungen des Alltags, Rastlosigkeit

Im klaren, unblockierten Zustand steht dieses Chakra für:

Lebenswille, Lebenskraft, innere Stabilität, Instinkte und Reflexe,
Geborgenheit, Urvertrauen, Selbstbewusstsein und gesunder Selbst-
erhaltungstrieb

Chakra 2 orange

Süchte, Verschlossenheit, Angst vor Veränderung, nicht loslassen
können, Zwanghaftigkeit, Sexgier, sexuelles Desinteresse, Ablehnung
oder Schuldgefühle im Zusammenhang mit der eigenen Sexualität/
den eigenen sexuellen Bedürfnissen, Furcht vor Schwangerschaft und
Geburt, Schuldgefühle, die Erziehung der eigenen Kinder betreffend;
geringes Selbstwertgefühl durch mangelndes Einkommen, Unbeha-
gen durch das Gefühl, von Anderen finanziell abhängig zu sein; Gefühl der Diskriminierung (Ausgrenzung von anderen), die Angst vor
Armut, die Angst, nie genug zu haben, Unfähigkeit das Leben zu genießen, seelische Kraftlosigkeit, Depression

Im klaren, unblockierten Zustand steht dieses Chakra für:

Fließen, Sexualität, Sinnlichkeit, Lebenslust, Geschmack, Kreativität, Spiel, Emotionen

Chakra 3 gelb

Befangenheit und Schüchternheit, mangelndes Selbstbewusstsein die Angst, für sich selbst Verantwortung zu übernehmen, Angst vor Versagen, Furcht vor Kritik bzw. das Bedürfnis, andere zu kritisieren, um die eigene Macht zu spüren; Wut, weil man sich vernachlässigt fühlt, das Empfinden, übergangen zu werden; das Muster, scheinbar anspruchslos Anderen zu geben, aus Furcht, nicht geliebt zu werden; Ärger und Frust aus der Unfähigkeit heraus, sich von den Erwartungen Anderer zu befreien Unfähigkeitsempfinden, Mangel an Entscheidungsfähigkeit, Essstörungen, Gefühlskälte, extreme Empfindlichkeit, Gleichgültigkeit, enormer Ehrgeiz, Wutausbrüche, Schlafstörungen, Ziellosigkeit; Persönliche Macht, Furcht vor Ablehnung, Furcht vor der Übermacht Anderer, Einschüchterung, mangelndes Selbstwertgefühl, Überlebensinstinkt. Hier liegen viele Angst- und Wutmuster, die durch Mangel an persönlicher Macht ausgelöst werden, tiefe innere Krisen, z.B. die Unfähigkeit, sich selbst und Anderen zu trauen.

Im klaren, unblockierten Zustand steht dieses Chakra für:

klare und gesunde Abgrenzung, Willenskraft, Selbstkontrolle, Durchsetzungsvermögen, Selbstwirksamkeit, balancierte Zielstrebigkeit, die Macht, seine Werte zu verwirklichen

Chakra 4 grün

Einsamkeit, emotionale Kälte, Angst vor emotionaler Verletzung, Beziehungsprobleme, mangelndes Einfühlungsvermögen, Oberflächlichkeit im Kontakt, Verbitterung, Lieblosigkeit; Schwierigkeiten,

Liebe, Zärtlichkeit und Berührung anzunehmen; sich getrennt fühlen; Angst nicht geliebt zu werden; Schuldgefühle, weil man einen Menschen innerlich ablehnt oder vernachlässigt; Neid, Eifersucht oder Ablehnung, weil man der Meinung ist, dass andere mehr Liebe und Aufmerksamkeit als man selbst erhalten; die Angst, Gefühle zu zeigen und zu erwidern; Schuldgefühle, weil man anstelle von Liebe nur Ärger, Feindseligkeit und Kritik äußern kann und damit den Erwartungen der eigenen Rolle nicht entspricht; Erstarrung der Gefühle durch lange Einsamkeit; Verunreinigung der Gefühle durch negative Wertungen Anderer und durch Vorurteile gegen Andere; Verhärtung der Gefühle durch Festhalten an alten Verletzungen und Wunden sowie negative Einstellung gegenüber Anderen; Angst und Verbitterung, weil man meint, nicht vergeben zu können oder weil man Vergeben/ Verzeihen strikt ablehnt; das Muster, immer wieder Beziehungen aufzubauen, die emotional unerfüllt bleiben oder auch Missbrauch beinhalten; etwas zu tun oder mit jemandem zusammen zu sein, ohne dass das HERZ dabei ist; so starke Verzweiflung und Kummer, dass im wahrsten Sinne des Wortes „das Herz bricht".

Im klaren, unblockierten Zustand steht dieses Chakra für:

bedingungslose Liebe, Dankbarkeit, Güte, Einfühlung, Zuneigung, Geborgenheit, Offenheit, Mitgefühl, Menschlichkeit, Verständnis

Chakra 5 türkis

Schüchternheit, Sprachstörungen, Angst seine eigene Meinung zu vertreten, Hemmungen, geringes Selbstwertgefühl, Unehrlichkeit und Lügen, um Gefühle zu verbergen oder die Verantwortung für eigene Handlungen zu verleugnen; die Unfähigkeit, Trauer, Schmerz oder Kummer auszudrücken einschließlich der Unfähigkeit, zu weinen; jahrelang angesammelter Schmerz und Scham über die vielen Gelegenheiten im Leben, bei denen man nicht wagte, für sich selber einzustehen; man übertreibt gern und verbiegt die Wahrheit, man redet schlecht über Andere, Klatschen und Tratschen – das ist ein Missbrauch der Energie des 5. Chakras.

Im klaren, unblockierten Zustand steht dieses Chakra für:

Kommunikation, Stimme, Wahrhaftigkeit, Selbstausdruck, Sichtbar sein

Chakra 6 blau (3. Auge)

Konzentrations- und Lernschwäche, Ängstlichkeit, Alpträume, Schlafstörungen, Phantasielosigkeit, Zukunftsangst, geistige Unruhe - rastloser Gedankenstrom ... Missbrauch des Intellekts durch Täuschung oder zum Schaden Anderer; Eifersucht und Neid auf die kreativen Fähigkeiten Anderer die Weigerung, aus seinen Lebenserfahrungen Lehren zu ziehen; statt dessen macht man Andere für die eigenen Probleme verantwortlich

Im klaren, unblockierten Zustand steht dieses Chakra für:

Intuition, Wahrnehmung, Phantasie, Träume, Gedächtnis, übersinnliche Wahrnehmung, geistige Klarheit, Selbsterkenntnis

Chakra 7 violett

Einseitige materielle Orientierung, Aktionismus, innere Leere, Mangel an Sinnhaftigkeit, geistige Erschöpfung, Grundhaltung von Unzufriedenheit; die Weigerung, innerlich zu wachsen und sich weiterzuentwickeln und damit die Verantwortung für sich selbst und die Anforderungen des eigenen Lebens zu übernehmen.

Im klaren, unblockierten Zustand steht dieses Chakra für:

Verbundenheit, Einheit mit der Schöpfung, innerer Friede, Vergebung, Selbstverwirklichung, Gotteserkenntnis, den Sinn des Lebens
erkennen.

(Die Themen und Probleme der Chakren: frei übersetzt nach: "Creation of Health" von C. N. Shealy u. Caroline Myss, Stillpoint, USA)

Dadurch, daß zwei Menschen nicht die gleichen Erfahrungen gemacht haben und auch nicht die gleichen Gedanken und Gefühle,
somit auch nicht die gleiche Einstellung zum Leben haben, ist dieses
Energiefeld auch charakteristisch für den jeweiligen Menschen (ich
denke das Wort Charakter hat den gleichen Wortstamm wie das Wort
Chakra (als Sitz des Charakters), ich habe dafür aber keinen Nach-
weis finden können)).

Jeder Mensch verfügt also über ein charakteristisches Energiesystem.
Dies besteht aus spezifischen Energiemustern, welche die charakteristischen Erfahrungen, Gedanken und Gefühle des speziellen Menschen
darstellen. Das bedeutet im Umkehrschluß, daß Energien Bewusstsein
sind. Energien haben eine Eigenart, oder einen Charakter. Sie äußern
sich beispielsweise durch Bilder. Diese Energien leben in uns und
drücken sich durch uns aus.

2.3 Welche logischen Schlüsse lassen sich aus dem Vorhandensein eines Energiefeldes ziehen?

Wir bemerken also Energien, diese äußern sich in Form von Gefühlen. Wir bemerken, ob ein Mensch traurig oder glücklich ist, ob eine
Situation gefährlich oder ungefährlich ist und, wenn wir genügend
aufmerksam sind, bemerken wir sogar, ob beispielsweise unser Bett
im Haus an einer energetisch günstigen oder ungünstigen Stelle steht
und vieles andere mehr.

32

Sind wir genügend wachsam dann kann das von hohem praktischen Nutzen für uns sein. So haben beispielsweise Menschen einen gebuchten Flug kurzfristig storniert, weil sie ein ungutes Gefühl hatten. Wenige Zeit später mußten sie feststellen, daß das Flugzeug technische Probleme hatte oder abgestürzt ist.

Ich selber verspürte einmal die eindringliche Aufforderung deutlich langsamer zu fahren, als ich mit dem Auto auf einer Landstraße unterwegs war. Es war weit und breit nichts zu sehen, doch meine innere Stimme sagte mir, daß hinter der nächsten Kurve ein LKW quer stehen würde. Ich tat also wie mir geheißen, und siehe da, als ich recht langsam um die nächste Kurve fuhr, stand dort ein sehr langer LKW quer über die gesamte Straße. Hätte ich meine Geschwindigkeit nicht deutlich reduziert, dann wäre ich unter Garantie in den LKW gerast.

Wir bemerken die Gefühle der Anderen, und wir können gefühlsmäßig Situationen, sogar im Vorwege einschätzen. Wir empfangen Schwingungen sowohl von Lebewesen, als auch von Situationen. Letztendlich schwingt absolut alles, das gesamte Universum. In der Astrophysik hat man festgestellt, das sogar da wo NICHTS ist, absolute Leere, keine Teilchen, Hochvakuum, zumindest noch die kosmische Hintergrundstrahlung existiert. Diese hat eine Temperatur, sie schwingt!

Das ist jetzt alles keine Zauberei, wir sollten es uns nur bewusst machen! Wir nehmen die Schwingungen unserer äußeren Welt wahr und wir senden auch Schwingungen an unsere äußere Welt, die wiederum von Anderen wahrgenommen wird (bewußt oder unbewußt).

Interessant ist nun, daß je nachdem wie wir uns fühlen und je nachdem, was wir als wahr annehmen, desto unterschiedlicher nehmen wir die Welt in der wir leben wahr. Dies ist relativ erstaunlich, da wir glauben, daß die äußere Welt für unsere Gefühle verantwortlich ist. Wir glauben also, daß die äußere Welt die Ursache für unsere Gefühle ist. Letztlich ist es aber genau umgekehrt, die äußere Welt ist das was aus unseren Gefühlen entsteht. Wenn ich beispielsweise verliebt bin, dann erlebe ich die ganze Welt als freundlich, ich möchte die ganze Welt umarmen. Bin ich gereizt oder verärgert, dann erscheint mir die Welt auch eher als feindlich mir gegenüber gesinnt. Ich nehme durch meine Einstellung der Welt gegenüber, die Welt wahr. Um es noch deutlicher zu sagen, ich nehme nur das wahr, was ich für wahr halte (das klingt ungemein logisch und das ist es auch!).

Wenn ich verliebt bin, dann glaube ich, daß das Leben schön und mir wohlgesonnen ist. Betrachte ich mit dieser Einstellung das Leben, also meine äußere Welt, dann werde ich genau das auch sehen und erleben. Wenn ich zum Bäcker gehe, wird die Verkäuferin, die sonst vielleicht eher unfreundlich war, nett zu mir sein, alles erscheint reibungslos. Diese Beispielsituation kann vielleicht nicht so ganz 1:1 betrachtet werden.

In „Wahrheit" ist die Verkäuferin wie immer, sie wird nur von meiner positiven Schwingung angeregt und reagiert dann ihrem Charakter und der jeweiligen Situation entsprechend, vielleicht sogar erst einmal unsicher, hilflos oder unwirsch. Da ich aber die „rosa Brille" aufhabe, habe ich nicht den Eindruck, daß die Reaktion der Verkäuferin gegen mich persönlich gerichtet ist, ich werde das Verhalten der Verkäuferin wahrscheinlich eher als echt, von Herzen kommend und damit als angenehm empfinden.

Schauen wir uns doch einmal diese Energie, die sich in Form eines Energiefeldes bemerkbar macht, genauer an. Diese Energie durchdringt jede Zelle von uns und somit unseren gesamten Körper. Sie ist in und um jeden lebendigen Körper, ein toter Körper verfügt nicht mehr über diese Energie. Es ist die Lebensenergie. Absolut alles, auch ein Stein oder eine Tasse, verfügt über diese Lebensenergie, nur ist diese bei einem Stein sehr viel schwächer ausgeprägt, als bei einem komplexeren Lebewesen.

Diese Lebensenergie bewirkt ein elektromagnetisches Feld, welches mit physikalischen Methoden meßbar ist.

Man kann nicht sagen, daß wir diese Lebensenergie, z.B. durch Nahrungsaufnahme, erzeugen, es ist eher so, daß wir diese Lebensenergie sind! Nach unserem körperlichem Ableben bricht das elektromagnetische Feld zusammen, die Lebensenergie verläßt den Körper und befindet sich außerhalb des Körpers -geht also nicht verloren- (was bei einem Ableben des Körpers geschieht schauen wir uns genauer in Kapitel 7, S. 62).

Im Idealfall fließt die Lebensenergie gleichmäßig durch unseren gesamten Körper. Alle Chakren leuchten in der für sie charakteristischen Farbe und alle in der für den Körper höchst möglichen Intensität. Ist dies gewährleistet, bilden alle Chakrenfarben zusammen weißes Licht. Das Herzchakra, als zentrales Chakra, wäre dann nicht mehr nur auf den Brustraum beschränkt, sondern würde sich über den gesamten Körper ausdehnen und diesen vollständig umhüllen. Man hätte in diesem Zustand ein „großes Herz". Dadurch, daß uns das Herzchakra auf diese Weise vollständig einhüllen würde, wären wir mit dieser Herzenenergie geschützt. Dies wäre der Zustand der Erleuchtung.

Wie der Name schon sagt, ist die Lebensenergie essentiell für das Leben an sich; die Lebensenergie ist das Leben. Was wir sehen können ist immer der unterschiedliche Ausdruck der Lebensenergie in Gestalt der verschiedenen Lebensformen. Wir als charakteristische Lebenserscheinung, mit den uns eigenen Gedanken, Gefühlen und Erfahrungen, beobachten und interagieren mit anderen charakteristischen Lebenserscheinungen. Letztlich gibt es nur das Leben, es gibt nichts außerhalb dessen.

Das Leben (oder GOTT) erfährt sich also selbst. Das bedeutet, daß dieselbe Situation aus verschiedenen Blickwinkeln, Perspektiven, Ansichten mit unterschiedlichen Gedanken und Gefühlen (also von unterschiedlichen Lebensformen) betrachtet, erlebt wird und daraus ergeben sich nicht nur die individuellen Erfahrungen in ein und derselben Situation, sondern gleichzeitig auch eine Gesamterfahrung, die sich zu einem vollständigen Bild zusammensetzt und somit dem Leben selbst (oder dem Göttlichen) zuteil wird. Dieses zusammengesetzte Bild, die Gesamterfahrung wäre demnach objektiv, alle individuellen Erfahrungen hingegen subjektiv.

Das Leben ist also nicht nur in uns selbst, sondern auch im Außen in den verschiedenen Lebensformen und -erscheinungen. Wie wir schon gesehen haben, ist der Unterschied, beispielsweise zwischen zwei Menschen, lediglich der, der unterschiedlichen Gedanken, Gefühle und Erfahrungen, welches sich in der unterschiedlichen Art der Betrachtung oder Wahrnehmung äußert. Daß das Leben im Innen wie im Außen letztlich das Gleiche ist, bedeutet aber auch, daß umso mehr wir vom Leben im Außen nicht annehmen können, also negieren, desto mehr schneiden wir uns selber von der Lebensenergie ab und umso destruktiver gehen wir gegen das Leben im Außen wie im Innen vor. Negieren wir etwas im Außen oder natürlich auch von uns selbst, dann entstehen Areale in unserem Energiefeld, die nicht mehr ausreichend mit Lebensenergie versorgt werden.

Durch diese Abneigungen dem Leben gegenüber ergibt sich dann ein nicht mehr kontinuierliches elektromagnetisches Feld, sondern ein Feld mit dunklen Bereichen. Diese dunklen Bereiche stellen Schwachstellen in unserem Energiesystem dar, die wiederum ein Einlaß-Tor für andere Energien sind.

Wie gesagt, alles ist Leben es gibt nichts außerhalb des Lebens (auch ein toter Körper wird schnell wieder von Kleinlebewesen besiedelt). Das wir überhaupt ein „Außen" empfinden, liegt daran, daß wir uns mit uns als Individuum, also mit etwas „Speziellem" identifizieren. Wir identifizieren uns letztlich mit der Person, die wir durch unsere subjektiven Anschauungen, durch unsere Einstellung zu der Welt und zum Leben an sich, selbst erschaffen haben. Dieses spezielle Individuum, welches wir erschaffen haben, zeigt unsere persönlichen Vorlieben und Abneigungen und grenzt uns von der „Außenwelt", einer „Andersartigkeit" ab. Unsere persönlichen Vorlieben und Abneigungen sind also Teil unseres Charakters, unseres Energiefeldes. Wie genau entstehen denn diese Vorlieben und Abneigungen? Diese Frage bringt uns direkt zum Thema Bewertungen.

3. Bewertungen

Bewerten wir etwas im „Außen" so hat das immer etwas mit uns selbst zu tun. Bewerten wir etwas negativ, lehnen wir also etwas ab, dann liegt das daran, daß wir das was wir ablehnen in uns nicht annehmen können. Lehne ich beispielsweise Arroganz als Charakterzug an jemanden ab, dann fällt es mir möglicherweise schwer mich in das rechte Licht zu rücken, mich adäquat darzustellen. Ich lehne dann ab, daß mir jemand anderes, der vielleicht meiner Meinung nach viel weniger „drauf hat" als ich, mir durch seine Art, durch seine Arroganz die Show stiehlt. Aus irgendeinem ganz individuellen Grund kann ich mit der Charaktereigenschaft Arroganz also nicht adäquat umgehen.

Bewerte ich etwas positiv, so liegt das daran, daß ich den Charakterzug, die Energie die ich an jemand anderem bewundere nicht selber leben kann. Bewundere ich also beispielsweise die sportliche Schönheit des Anderen, blockiert etwas in mir genau diese Energie, die meine eigene Anmut und Schönheit zum Ausdruck bringt.

Diese Art der Betrachtung, daß das „Außen" ein Abbild meiner selbst darstellt, ermöglicht uns im „Außen" die eigenen energetischen Blockaden aufzuspüren. Bewerten wir etwas, sollten wir uns immer genau fragen warum wir etwas ablehnen oder bewundern, bis wir die genaue Ursache ermittelt haben. Dann tritt Heilung ein, dann können wir unsere wahre Bestimmung leben. Im Idealfall sähe das demnach so aus, daß ich nichts was mir begegnet als „gut" oder „schlecht" bewerte, sondern nur als das sehe was es ist. Lügt mich mein Partner an, so sollte ich schon die Lügen als Lügen sehen, nur Lügen sind eine Variante von unzähligen „Spielweisen" des Lebens. Aus den Lügen meines Partners kann und sollte ich womöglich meine Konsequenzen ziehen. Möchte ich mit jemanden zusammen leben, der lügt? Ich selber sollte mich in jedem Falle zur Wahrheit bekennen. Die Wahrheit sollte jede Zelle meines Körpers durchdringen, ich sollte Wahrheit sein. Die Bekennung zur Wahrheit ist ungemein praktisch, da ich damit ein Gespür für den Unterschied zwischen Wahrheit und Lüge entwickeln werde. Es kommt noch ein weiterer Aspekt hinzu. Wenn ich immer die Wahrheit sage, dann ist alles was ich sage die Wahrheit!! Hier liegt ein Schlüssel des Erschaffens. Ich bin nach einer gewissen Zeit des Lebens in der Wahrheit, in der Lage etwas auszusprechen, was dann zur Wahrheit wird, bzw. die Wahrheit ist!

Des Weiteren sollten wir uns bewusst machen, daß wir dadurch, daß wir einen bestimmten Charakterzug an jemand anderen ablehnen, diese Energie damit in dem Anderen oft verstärken oder verfestigen. Jede Energie jeder Charakterzug will gelebt werden, **wir** haben die Möglichkeit bewusst zu entscheiden welche Energien wir persönlich zum Ausdruck bringen möchten. Jeder möchte in seiner Entscheidung (ob bewußt oder unbewußt), welche Energien er oder sie zum Ausdruck bringt, akzeptiert und geliebt werden. Lieben wir die Energien in dem Anderen als das was sie sind, nämlich als Ausdruck des Lebens, dann entsteht zumindest in uns als Betrachter, Frieden.

Welche Energien andere leben, hat erst einmal mit unserem eigenen Wohlergehen nichts zu tun. Natürlich kann ich mir eine Situation vorstellen, in der mein Partner mich hintergeht, meine Kollegen mich mobben oder mein Chef meine Arbeit ablehnt. Dieses Verhalten würde uns wahrscheinlich verletzen und hätte damit sehr wohl einen Einfluß auf unser Wohlergehen. Wir würden versuchen das Verhalten der Anderen im Anderen zu ändern, beispielsweise indem wir unseren Partner maßregeln. Den Partner auf diese Weise zu ändern ist aber grundsätzlich nicht möglich! Wir können uns immer nur fragen warum wir solcherlei Problematiken eigentlich erleben. Welche Rolle spiele ich in der jeweiligen Situation? Spiele ich beispielsweise die Rolle desjenigen mit dem man es einfach machen kann? Ich kann den Partner oder die Arbeitsstelle so oft wechseln wie ich will, ich werde immer wieder in ähnliche Situationen geraten, bis ich genau ergründet habe, warum ich eigentlich immer wieder in die gleichen Konflikte gerate. Dann erst lösen sich die Konflikte auf, dann ist es auch nicht mehr entscheidend, wie sich die anderen in meinem Umfeld verhalten. Ich habe dann den Eindruck, daß das Verhalten der „Anderen" nichts mit mir zu tun hat; ich gerate nicht mehr in Resonanz mit den Verhaltensweisen meines Umfeldes.

Zusammenfassung:

Die Energie, die jede Zelle von uns durchdringt und um unseren Körper herum ist, ist die Lebensenergie. Diese Lebensenergie ist universell, das heißt, es gibt nicht meine oder Deine Lebensenergie, es gibt nur Die Lebensenergie. Absolut alles was **IST**, ist Ausdruck der universellen Lebensenergie. Diese kann von jedem von uns auf verschiedene Arten und Weisen blockiert also unterdrückt und umgelenkt werden. Dies geschieht ganz einfach indem wir Teile des Lebens nicht annehmen. Das was wir mögen oder eben auch nicht mögen sind unsere ganz individuellen Gedanken, Gefühle und somit unser Charakter. Wir sehen also, daß unser Energiesystem unseren Charakter bestimmt damit hat es natürlich auch einen entscheidenden Einfluß auf unsere persönlichen Entscheidungen, unser Verhalten und unsere Handlungen. Unsere Entscheidungen, unser Verhalten und unsere Handlungen formen unser ganz persönliches Leben und Erleben.

Da wir ja nicht „nur" Energie sind, sondern auch einen Körper haben, wird auch unser Körper durch unsere Gedanken und Gefühle unsere generelle Einstellung zum Leben geformt. Wie schon erwähnt liegt hier ein entscheidender Schlüssel zur Gesundheit, da unsere Energiewirbel, unsere Chakren mit unseren Drüsen und unserem Zentralnervensystem verbunden sind. Krankheit entsteht letztlich durch die unterschiedlichen Blockaden der Lebensenergie in unserem Körper. Wenn wir die Lebensenergie in unserem Körper durch unsere Gedanken, Gefühle oder die Ablehnung von Teilen des Lebens im scheinbaren Außen blockieren, werden Teile unseres Körpers nicht mehr ausreichend mit Lebensenergie versorgt. Es entsteht Krankheit.

Unser Energiesystem ist also über unsere Chakren mit unseren Drüsen und unserem Zentralnervensystem, die für viele Funktionsweisen unseres Körpers verantwortlich sind, verbunden.

Des Weiteren ist unser Zentralnervensystem auch mit unserem Gehirn als oberste Kommando-Zentrale verbunden.

Im Folgenden schauen wir uns also unser Gehirn als Koordinationsstelle einmal etwas genauer an.

4. Aufbau des Gehirns

Wenn wir uns einmal die Entwicklung des Menschen vom Australopithecus über den Neandertaler zum Homo Sapiens kurz ansehen, fällt auf, daß ein markanter Unterschied zwischen den einzelnen Evolutionsphasen des Menschen neben dem aufrechten Gang und anderen Unterschieden, vor allem die Entwicklung des Gehirns ist.

Das **Stammhirn** ist zuständig für die Steuerung der grundlegenden Lebensfunktionen z.B. die Kontrolle der Atmung, Stoffwechsel, Blutdruck, Herzschlag und anderer autonomer Systeme. Im Hirnstamm findet auch eine Integration der Sinne statt.

Das **limbische System** (Sitz der Emotionen sowie Steuerung des autonomen Nervensystems) ist eine Funktionseinheit des Gehirns, die der Verarbeitung von Emotionen und der Entstehung von Triebverhalten dient. In diesem Teil des Gehirns ist die Bewahrung der Gesellschaftsstruktur verankert. Das Wohl des Stammes wird über das Wohl des Einzelnen gestellt. Die vier Primärprogramme des limbischen Systems sind Angst, Wut, Mangelgefühle und Lust. Dem limbischen System werden auch intellektuelle Leistungen zugesprochen. Die Entstehung von Emotion und Triebverhalten ist immer das Zu-

40

sammenspiel vieler Gehirnanteile und kann nicht dem limbischen System allein zugesprochen werden. Das limbische System liegt zwischen dem Stammhirn und dem Neocortex und sorgt dafür, daß beide Gehirnteile miteinander kommunizieren können.

Unter **Neocortex** (Sitz des Denkens, Lernens, des Schlußfolgerns) wird der stammesgeschichtlich jüngste Teil der Großhirnrinde verstanden. Die Funktion des Neocortexes ist technologisch, linear-logisch. Das heißt, der Neocortex empfängt Informationen von der äußeren Umwelt. Beim Menschen bildet der Neocortex den Großteil der Oberfläche des Großhirns (rund 90 %), darunter die Repräsentationen der Sinneseindrücke (sensorische Areale), den für Bewegungen zuständigen Motorcortex und die weiträumigen Assoziationszentren. Die Bestimmung dieses Teils des Gehirns ist es, sich zu einem individuellen Wesen zu entwickeln und sich von der Masse abzuheben.

Des Weiteren hat das **Zeitgefühl** im Neocortex seinen Sitz.

Der Neocortex gliedert sich in die rechte und linke Gehirnhälfte.

Die **linke Gehirnhälfte** steht für Präzisionsarbeit und die rechte Hälfte hat den Überblick. Die **rechte Gehirnhälfte** sorgt für das gesamte Bild, sie arbeitet nach dem Simultanprinzip. Die rechte Gehirnhälfte funktioniert visuell. Räumliche Relation und Körperbewußtsein sind hier angelegt. Auch Kreativität und Gefühle liegen in diesem Teil des Gehirns.

Die linke Gehirnhälfte arbeitet nach dem Sequenzprinzip. Alle Details werden analysiert, geordnet und haben eine bestimmte Reihenfolge. Sie funktioniert auditiv. Das Intellektuelle, Abstrakte liegt in der linken Gehirnhälfte. Reden, Sprache, Lesen werden von hier gesteuert. Der Mensch kann sich mit der Tätigkeit der linken Hemisphäre freuen oder böse sein, absagen oder zusagen. Das ist ein digitales Prinzip, hier gilt " ja"/"nein" (Dualismus). Die linke Hemisphäre steuert die rechte Körperseite motorisch, die rechte Hemisphäre steuert die linke Hälfte des Körpers.

In unserer Welt, wo der Intellekt eine so große Bedeutung hat, wird die Förderung der linken Gehirnhälfte oft in den Vordergrund gestellt.

Zwischen den beiden Gehirnhälften befindet sich eine Brücke, **Corpus Callasum** genannt. Diese Brücke sorgt dafür, daß alles was die eine Gehirnhälfte behandelt und bearbeitet auch die andere erreicht. Um die Welt in Nuancen zu erleben, ist es notwendig, daß beide Hemisphären zusammen arbeiten. Beide Systeme bringen Informationen an das Gehirn, und bunte Vielfältigkeit entsteht.

Der **präfrontale Cortex** oder *Cortex praefrontalis* ist ein Teil des Frontallappens der Großhirnrinde (*Cortex cerebri*). Er befindet sich an der Stirnseite des Gehirns und ist eng mit den sensorischen Assoziationsgebieten des Cortex, mit subcortikalen Modulen des limbischen Systems und mit den Basalganglien verbunden.

Bei allen Aktivitäten im Gehirn arbeiten alle Gehirnteile zusammen. Sie stehen in Verbindung zueinander und das ganze Gehirn hat Einfluß auf die sensorischen und motorischen Funktionen des Menschen.

4.1 Wie ist unser Energiesystem mit unserem Gehirn verbunden?

Die Schwingung eines Ereignisses in der äußeren Welt wird über alle Chakren aufgenommen. Die Chakren sind mit dem Zentralnervensystem, und dieses ist wiederum mit dem Gehirn verbunden.

Der **präfrontale Cortex** ist letztlich das sechste Chakra (energetisch das dritte Auge). Vom präfrontalen Cortex werden die energetischen Informationen der Chakren gesammelt und an den Neocortex weitergeleitet, welcher die Informationen mit Gedächtnisinhalten integriert, wobei der Neocortex die Informationen analysiert (links), in ein bekanntes Bild übersetzt (rechts) und mit dem aus dem limbischen System stammenden emotionalen Bewertungen verbindet. Auf dieser

Basis wird dann von dem limbischen System ein Programm abgespult und durch das Nervensystem gesendet, welches dann unter Umständen eine Handlung initiiert oder zumindest Impulse für eine Handlung gibt.

Wenn sich im limbischen System keinerlei Programm befindet, welches in Kraft treten könnte, dann wäre die ankommende Energie im Neocortex und im präfrontalen Cortex. Daraus ergäbe sich dann eine völlig andere Sicht der Dinge und auch eine völlig andere Handlungsweise, als wenn wir von Impulsen des limbischen Systems geleitet werden würden.

Der präfrontale Cortex wird als oberstes Kontrollzentrum für eine situationsangemessene Handlungssteuerung angesehen und ist gleichzeitig intensiv an der Regulation emotionaler Prozesse beteiligt. Deshalb wird er auch als "Supervisory Attentional System" (SAS) bezeichnet.

Ein Energieimpuls, der besonders stark in den unteren drei Chakren wahrgenommen wird, bewirkt einen Handlungsimpuls, der von den unteren also niederen Gehirnarealen ausgelöst wird. Ein Energieimpuls, der besonders stark in den oberen Chakren wahrgenommen wird, bewirkt einen Handlungsimpuls, der von den oberen also höheren Gehirnarealen ausgelöst wird. Was bedeutet das?

Bin ich eher mit Themen der unteren Chakren beschäftigt, also solche Themen wie Neid, Schuld usw., dann werden äußere energetische Impulse (Ereignisse, Situationen, andere Menschen) mich dazu veranlassen mich selber z.B. schuldig oder ungenügend zu fühlen, oder ich werde demjenigen der dieses Gefühl bei mir angestoßen hat, dazu veranlassen sich schuldig oder anders unzureichend zu fühlen. Dies sind Programme des limbischen Systems.

Bin ich mehr mit Themen der oberen Chakren beschäftigt, dann werde ich solche Gefühle wie Neid und Mißgunst gar nicht erst verspüren. In diesem Falle werde ich möglicherweise eher im Herzen oder im dritten Auge zentriert sein und die Welt aus dieser Perspektive heraus wahrnehmen, somit werde ich mein Gegenüber als Ausdruck der göttlichen Lebensenergie verstehen. Hierbei kämen also im besten Falle meine Handlungsimpulse direkt aus meinem präfrontalen Cortex. Es würden keine anderen "niederen" Gehirnareale angesprochen werden, und damit würden auch keine möglichen Programme aus diesen ablaufen. Dies kann man sehr schön beobachten, wenn man einen buddhistischen Mönch und im Vergleich dazu einen eher westlich orientierten Menschen in ein MRT (Magnetresonanztomographie) –Gerät schiebt. Beim buddhistischen Mönch ist allein der präfrontale Cortex direkt oberhalb der Augenbrauen aktiv.

4.2 Welche Schlußfolgerungen ergeben sich aus dem Wissen über den Aufbau des Gehirns für unsere Gefühle?

Schauen wir uns noch einmal das Beispiel mit der scheinbar bedrückten Freundin auf der Parkbank an. Sie gehen also im Park spazieren und sehen Ihre Freundin, erst einmal rein visuell, etwas zusammengesunken auf der Parkbank sitzen. Sie möchten aus der Ferne, vorerst ohne mit ihr zu reden, einen Eindruck von der Gefühlslage Ihrer Freundin erhalten. Hierzu nehmen Sie also die Schwingung, die von Ihrer Freundin ausgeht, über Ihre Chakren auf und verarbeiten diese energetische Information mittels Ihres Gehirns. Dabei fällt Ihnen möglicherweise eine Situation ein, in der Sie Ihre Freundin in einer ähnlichen Haltung gesehen haben. Sie erinnern sich daran, daß Ihre Freundin damals über eine familiäre Situation nachgedacht hat und dabei nachdenklich mit dem einen Fuß im Sand scharrte. Sie sehen jetzt möglicherweise Ihre Freundin mit derselben Geste mit dem Fuß im Sand Kreise malen. Sie denken sich also, daß Ihre Freundin diesmal wohl auch nachdenklich ist. Sie gehen nun näher an Ihre Freundin heran und fragen vielleicht so etwas wie: "Na, wieder Ärger mit der Familie?"

Wir sehen also einerseits, daß durch die Verbindung der Chakren zum Gehirn, also über das limbische System eine Handlung initiiert werden kann und zum Anderen sehen wir, daß vergangene Erfahrungen und Eindrücke im Gehirn gespeichert und jederzeit abrufbar sind. Man könnte auch sagen, daß unsere Erfahrungen und Eindrücke von Menschen oder Situationen in unser bereits vorhandenes logisches Konzept integriert werden. Ich kann die Beispielsituation mit der Freundin auf der Parkbank völlig fehleinschätzen, weil ich bestimmte Konzepte (z.B. wie meine Freundin generell so "gestrickt" ist) mit der vorhandenen neu-erlebten Situation verknüpfe.

Diese Abläufe sind uns alle doch recht vertraut. Wie sieht es aber aus, wenn wir diese Abläufe in einem viel größeren Rahmen betrachten? Wenn wir den Reinkarnationsgedanken mit einbeziehen, dann kann die Speicherung unserer logischen Konzepte nicht mehr über das Gehirn verstanden werden, da wir im Falle unseres körperlichen Ablebens ja auch unser Gehirn verlieren. Um diese Speicherung ohne Gehirn verstehen zu können schauen wir uns erst einmal an, was genau auf Zellebene geschieht.

5. Energetische Speicherung (Gene, logische Verknüpfungen)

5.1 Wie werden Gefühle gespeichert?

Derzeit werden die Gene als Sitz der Gefühle/Emotionen und damit der unveränderlichen charakterlichen Eigenschaften eines jeden Menschen verstanden. Diese Betrachtungsweise ist nicht ganz vollständig, und soll hier ergänzt werden.

Jede Zelle im Menschen besteht aus einem Zellkern (Nukleus), Proteinbausteinen (die sich um den Zellkern befinden) und einer Zellhaut. Die Erbsubstanz (die Gene), die DNA befindet sich im Zellkern. Die Zelle ist die kleinste strukturell sichtbare Einheit eines Lebewesens in der Biologie.

Einerseits sind in der DNA körperliche Eigenschaften (z.B. Augenfarbe, Haarfarbe, Hautbeschaffenheit...) des Menschen enthalten und zum Anderen ist in der DNA auch die Information für den Bau der Proteine, welche für die biologische Entwicklung eines Organismus und den Stoffwechsel in der Zelle notwendig sind.

Bisher wurde der Zellkern mit dem Sitz der DNA als essentieller Bestandteil des Lebens, nicht nur der einzelnen Zelle, sondern auch des gesamten Organismus verstanden. Man könnte also vermuten, daß wenn der Zellkern einer Zelle entfernt wird, die gesamte Zelle stirbt. Das ist aber nicht der Fall! Entfernt man den Zellkern aus einer Zelle, so lebt diese weiter! Die Zelle stirbt natürlich nach einer gewissen Zeit (wobei die Lebenszeit der Zelle charakteristisch für den Zelltyp ist), mit und ohne Zellkern. Also entscheidend hierbei ist, daß der Zellkern, die DNA, nicht für das **Leben** der Zelle an sich verantwortlich ist. Was aber ist entscheidend für das Leben der einzelnen Zelle und damit auch des gesamten Organismus?

Es gibt viele unterschiedliche Proteinarten. Laut Bruce Lipton (Biology of Perception) befinden sich auf der Oberfläche der Zelle, zwei verschiedene Proteinarten. Dies sind zum Einen „Antennenproteine" und zum Anderen „Empfangsproteine". Die Antennenproteine sind Proteine, dessen unteres Ende in die Zelle hineinragt und dessen oberes Ende aus der Zelle herausschaut. Am oberen Ende der Zelle befindet sich nun eine Art Antenne (eine wunderbar anschauliche Graphik von der Oberfläche der Zelle befindet sich auf dem Titelblatt des wissenschaftlichen Magazins „Science" vom 23. März 2001 (s. Abb.: 6)).

Abb. 6: Titelblatt des Science Magazins vom 23. März 2001 Vol 291 No. 5512

Diese Antennen der „Antennenproteine" sind dazu da, Signale aus der Umgebung der Zelle zu empfangen. Wenn ein geeignetes Signal von diesem „Antennenprotein" empfangen wird, dann ändert sich die Struktur dieses Proteins am unteren Ende (das was sich in der Zelle befindet). Durch die strukturelle Veränderung des „Antennenpro-teins" kann nun ein Verbindungsstück an das Antennenprotein ando-cken. Dieses Verbindungsstück dient als Verbindung zwischen dem „Antennenprotein" und dem „Empfängerprotein". Sind nun also das Antennenprotein und das Empfängerprotein miteinander verbunden, so öffnet sich das Empfängerprotein und läßt mehr von dem ur-sprünglichen Signal in die Zelle hinein.

Nun befinden sich nicht nur auf jeder Zelle Proteine, sondern der Zellinhalt besteht zu 50% aus Proteinen und zu 50% aus Chromosomen (DNA). Wird nun ein Signal von der Zelle empfangen und in die Zelle hineingelassen, dann verändert dieses Signal die Struktur der sich in der Zelle befindlichen Proteine. Durch die Veränderung der Struktur der Proteine sind diese nun chemisch gesehen etwas anderes als vorher. Weiterhin befinden sich Proteine auch direkt an der DNA. Durch das Eintreffen des Signals verändern diese Proteine ihre Struktur und legen somit ein für das ursprüngliche Signal spezifisches Stück der DNA frei. Jetzt kann dieses DNA-Stück gelesen werden und wird durch den bereits bekannten Prozeß der Replikation verdoppelt. Durch das Freilegen des DNA-Stückes wird dieses Stück DNA aktiv. Dieses DNA-Stück ist jetzt wiederum für die Bildung von neuen Proteinen zuständig.

Zusätzlich zur Proteinherstellung, ist die DNA auch noch für die Reproduktion (Replikation) der Zelle verantwortlich. Wenn die Zelle also stirbt, dann kann durch die Replikation der DNA eine identische Zelle geschaffen werden.

Zusammenfassend läßt sich also feststellen, daß die Proteine bestimmte Signale in die Zelle hineinlassen und daraufhin wird die DNA freigelegt und bildet wiederum Proteine, die den Organismus veranlassen auf dieses Signal adäquat reagieren zu können. Da wir hier nur den Vorgang des Eintreffens **eines** Signals betrachten, und in der Realität natürlich eine Vielzahl Signale auf die Zelloberfläche treffen (und gegebenenfalls in die Zelle hineingelassen werden), sind natürlich auch mehr DNA-Stücke aktiv. Insgesamt sind ca. 50% aktiv und demnach 50% inaktiv.

Was heißt das nun konkret?

Dieser Vorgang ermöglicht dem gesamten Organismus sich den äußeren Bedingungen anzupassen. Über die DNA wird letztendlich ein Organismus geschaffen, der sich auch in einer „lebensfeindlichen"

Umgebung entsprechend zurechtfindet und mehr oder weniger überleben kann.

Stellen wir uns einmal vor, ein Mensch lebt quasi in paradiesischen Zuständen. Er ist nicht nur gesund und vital, er ist auch zufrieden und glücklich (was natürlich auch einander bedingt). Durch irgendwelche Umstände entscheidet sich dieser Mensch nun seine gewohnte Umgebung zu verlassen. Dies muß nicht nur rein örtlich sein, sondern kann auch z.B. einen Partnerwechsel oder Arbeitswechsel bedeuten.

In dieser neuen Umgebung fühlt er sich vorerst nicht so wohl (er hat also ein ungutes Gefühl), dennoch entscheidet er sich für die neue Umgebung (den neuen Partner, oder die neue Arbeitsstelle). Das ungute Gefühl kann nun im Laufe der Zeit durch äußere Umstände (z.B. die neuen Arbeitsbedingungen werden schlechter) auch noch zunehmen. Nun hat er zwei Möglichkeiten, entweder er leidet unter seinem unguten Gefühl, oder er paßt sich der neuen Umgebung (dem neuem Partner, dem neuen Arbeitsplatz) an. Wenn er sich also für die neue Umgebung entscheidet, dann wird er sich zwangsläufig verändern müssen.

Nun kommt noch ein weiterer Effekt dazu:

Irgendwann entscheidet sich unser Beispielmensch nun, die eher ungute Umgebung zu verlassen, und wählt wieder eine für ihn angenehmere Umgebung. Auch hierbei läuft der gesamte oben beschriebene Anpassungsvorgang über die DNA ab und ermöglicht somit ein Leben in der neuen Umgebung oder unter neuen Bedingungen.

Dennoch, diese „Sprünge" von einem Umfeld in ein anderes sind nur möglich, wenn beide Bedingungen (Umgebungen, oder Arbeitsplätze) (sozusagen frequentiell) nicht allzu weit auseinander liegen. Theoretisch wäre es schon möglich z.B. heute in einem bequemen Bürostuhl zu sitzen, und morgen in Bangladesch, mit einem Karren, Gemüse zu verkaufen und umgekehrt. Energetisch ist es eben in diesem Falle eher ungünstig, oder unwahrscheinlich. So ein Frequenzsprung ist des

Weiteren auch mit einem erheblichen Energieaufwand verbunden. Über die Formel $E = h \cdot v$ ist die Frequenz v direkt mit der Energie E verbunden. Das bedeutet, je höher der Frequenzsprung, desto mehr Energie benötige ich für diesen. Das gilt natürlich in beide Richtungen, von hohen Frequenzen zu niedrigen Frequenzen und umgekehrt. Das solche energetischen oder frequentiellen Sprünge nicht ohne weiteres möglich sind, ist auch sinnvoll. Wie wir bereits wissen, ist unser Körper Ausdruck unserer Energie, dieses gilt natürlich für alle Lebewesen, und somit würde ich eines morgens aufwachen und mein Hund wäre plötzlich eine Katze und meine Yucca Palme ein Gummibaum. Ein Zurechtfinden in einer solchen Welt ist praktisch nicht möglich.

Das Gleiche gilt für Sprünge innerhalb eines bestimmten Zeitintervalls, also beispielsweise innerhalb eines Tages. Wenn ich z.B. eine unangenehme Arbeitsstelle habe, und mich hier, um nicht zu leiden, anpassen muß, dann wird die Anpassung zu Hause (also in einem völlig anderen Umfeld) schwerfallen, oder umgekehrt (bin ich zu Hause mit meiner Familie angepaßt, dann wird die Anpassung in der Arbeit nicht so gut gelingen).

Die gute Nachricht: Grundsätzlich sind positive Anpassungen (von einer niedrigen Frequenz auf eine hohe Frequenz) leichter möglich als umgekehrt. Das liegt daran, daß das Leben ja zu hohen Frequenzen hinstrebt (das Leben ist ja die höchste Frequenz, die es gibt).

In gewissen Grenzen sind frequentielle Sprünge nicht nur möglich, sondern auch entwicklungstechnisch erwünscht. Wenn ich einen energetischen Sprung wünsche, dann werde ich mich im Vorwege an die neue Frequenz anpassen müssen. Dies geschieht über die Visualisierung (dazu mehr in Kapitel 10: Wie können wir unsere Gefühle verändern?).

Übrigens: Da wir niedrige Frequenzen als körperlich unangenehm empfinden und hohe Frequenzen als körperlich angenehm, empfinden wir die höchste Frequenz die es gibt, als bedingungslose LIEBE. Die bedingungslose LIEBE ist das Gefühl der Verbundenheit mit allem was ist. Wenn ich alles annehmen kann, so wie es ist, und demnach absolut nichts verändert werden muß, damit ich es lieben kann, dann befinde ich mich in einem paradiesischen Zustand, ich bin nicht mehr von anderen getrennt, ich bin verbunden, zu Hause. Das Gefühl der bedingungslosen LIEBE ist eben das angenehmste Gefühl welches wir kennen. Was natürlich daran liegt, daß unsere Lebensenergie bedingungslose LIEBE ist. Unsere Lebensenergie fühlt sich, umgeben von der höchsten Frequenz (bedingungsloser Liebe), zu Hause!

Wie wir bereits gesehen haben, befinden sich die kleinen Antennen zur Aufnahme eines Signals an der Oberfläche der Zelle. Mit der Zeit verkleben diese und arbeiten nicht mehr richtig. Hier ist es sinnvoll von Zeit zu Zeit zu entschlacken, also zu fasten. Es gibt viele unterschiedliche Vorschläge für Fastenkuren. Meines Erachtens nach, haben 5 Tage nichts essen, nur Säfte und Wasser trinken oder Ähnliches, den größten Effekt. Aber ich bin kein Arzt. Wenn Sie fasten wollen, fragen Sie bitte vorher einen Arzt Ihres Vertrauens.

Man kann sich die einzelnen Antennen- und Empfängerproteine als kleine Schalter vorstellen. Ein Signal wird nun von einem solchen kleinen Schalter in die Zelle hinein gelassen oder eben nicht in die Zelle hinein gelassen. Dieses Signal entspricht den schon erwähnten Frequenzen (=Gefühle), und durch unsere Art und Weise, wie wir Ereignisse, Situationen, Menschen im Außen annehmen oder ablehnen wie wir im Kapitel 3 Bewertungen gesehen haben, entscheiden wir selbst (unbewußt oder bewußt) welche Frequenzen wir in uns aufnehmen und welche nicht! Das bedeutet, nehmen wir alle zu einem bestimmten Zeitpunkt zur Verfügung stehenden Frequenzen an, dann sind alle kleinen Schalter auf „Durchlaß" geschaltet und wir empfinden wiederum bedingungslose Liebe. Das ist die Essenz des Universums (alle Frequenzen, alle Möglichkeiten), mit dieser Essenz sind wir dann verbunden. Wir sind dann energetisch im präfrontalen Cortex und damit in der Zeitlosigkeit, da das Zeitgefühl im Neocortex sitzt. Wir können die Zeit dann nicht mehr schätzen und für uns spielt

Zeit auch keinerlei Rolle mehr, da wir völlig im Jetzt sind. Hundertprozentig aufmerksam, präsent und doch gleichzeitig omnipräsent.

Können wir hingegen bestimmte Frequenzen nicht annehmen (können wir also etwas nicht bedingungslos lieben was Teil des Lebens ist), so lassen die kleinen Schalter diese Frequenzen eben nicht hindurch. Nun steht uns die volle Bandbreite der Frequenzen, Möglichkeiten nicht mehr offen, wir sind für die Lebensenergie teilweise blockiert.

So betrachtet läßt sich nun auch verstehen warum jedes Gefühl seinen dualen Gegenspieler hat, also warum es zu jedem Gefühl ein gegenteiliges Gefühl gibt. Entweder ich lasse ein Gefühl (z.B. Zufriedenheit) in jede meiner Zellen hinein, oder ich lasse es nicht hinein (Unzufriedenheit). Wenn ich, wie bereits erwähnt, alle Gefühle (Frequenzen) hineinlasse, dann empfinde ich bedingungslose Liebe, hierzu gibt es kein Gegenteil, da dies bedeuten würde, daß alle Schalter geschlossen wären und damit wäre ich vollends von der Lebensenergie abgeschnitten und somit nicht existent. Ich will nicht sagen tot, da tot körperlos meint. In unserem Sprachgebrauch hingegen ist tot gleichbedeutend mit nicht "mehr" existent. Körperlos ist energetisch gesehen aber sehr wohl existent, eben energetisch existent! Das bedeutet im Übrigen auch, daß es das Gegenteil von bedingungsloser LIEBE schlichtweg nicht gibt, denn alles ist existent!

Beim Eintritt des körperlichen Todes werden die persönlichen energetischen Merkmale (letztlich also unser Charakter) gespeichert. Man kann sich das so vorstellen, daß die Stellungen der kleinen Schalter (offen oder geschlossen) wie bei einem Computerchip gespeichert werden. Wenn ich den Computer ausschalte und den Netzstecker herausziehe, dann ist dennoch alles elektronisch auf der Festplatte des Computers gespeichert (auch ohne Strom)! Das Gleiche gilt für die energetische Speicherung unserer Gefühle. Ohne zusätzlichen Energieaufwand kann nach dem Ableben unseres Körpers alles energetisch gespeichert werden und durch die Reinkarnation wird alles Gespeicherte wieder in das neu zur Verfügung stehende Energiesystem, und damit auch in den neuen Körper, heruntergeladen. Der Reinkarnationsgedanke ist logisch zwingend notwendig! Zum Einen hätte das Leben, wenn es nur eines gäbe, keinen rechten Sinn. Wir könnten in diesem einen Leben nicht wirklich aus unseren Fehlern und Erfahrungen lernen. Im kleinen Rahmen vielleicht schon, aber aus höherer übergeordneter Sicht, sicherlich nicht. Durch die Reinkarnation läßt sich auch erklären warum schon ein kleines Kind beispielsweise unter Höhenangst leiden, oder panische Angst vor Wasser haben kann, obwohl im gleichen Leben kein offensichtlicher Grund dafür vorliegt. Wenn dieses Kind in einem früheren Leben beispielsweise von einem hohen Turm abgestürzt ist (Höhenangst) oder ertrunken ist (Angst vor Wasser), dann wurden in diesem früheren Leben die eindrücklichen Gefühle während des Absturzes oder des Ertrinkens gespeichert. Alle nachfolgenden Leben enthalten dann diese Ängste, die erst wieder betrachtet und gegebenenfalls gelöscht werden müßten.

Interessant ist nun auch noch die Tatsache, daß sich Energie immer in beide Richtungen, also in die Zelle hinein und aus der Zelle hinaus bewegen kann. Wenn ich also ein bestimmtes Gefühl in meine Zellen hineinlasse, dann strahle ich auch dieses Gefühl aus. Wünsche ich meinem Nachbarn die sprichwörtliche "Pest an den Hals", so bedeutet das, daß ich, die entsprechenden mikrobiologischen „Schalter" auf „nicht durchlässig" für die Energie der gegenseitigen Achtung voreinander schalten müßte, um überhaupt in der Lage zu sein so etwas meinem Nachbarn wünschen zu können. Das wiederum hat negative Folgen für mich und meine Gesundheit, da ich damit ja für die Lebensenergie teilweise blockiert bin. Der Nachbar merkt schon von Weitem wie ich ihm gegenüber eingestellt bin, egal was für Worte ich benutze. Probieren Sie das Gegenteil gerne einmal aus, wünschen Sie Ihren Mitmenschen von Herzen alles erdenklich Gute und fühlen Sie wie angenehm das ist, und welche Reaktion daraufhin wiederum von Ihren Mitmenschen ausgeht. Das sollte jetzt natürlich nicht zum Selbstzweck verkommen, sondern, wie alles, wirklich ehrlich gemeint sein (wirklich gefühlt werden). Nur dann funktioniert es auch!

Zusammenfassend kann man also sagen, daß jede Zelle in uns Antennen für sämtliche Frequenzen hat. Es gibt natürlich unterschiedliche Zellen, die unterschiedliche Aufgaben im Körper zu erfüllen haben und deswegen werden bestimmte Zellen letztendlich auch nur bestimmte, an die Zellaufgabe angepaßte, Antennen haben.

Diese Antennen kann man sich letztendlich als kleine Schalter vorstellen, die entweder eine Frequenz hindurchlassen (also in die Zelle hineinlassen) oder eine bestimmte Frequenz nicht hindurch lassen. Die Zelle nimmt also die Frequenz wahr, für die der Schalter durchlässig ist. In einem größerem Maßstab bedeutet das, daß wir nur das wahrnehmen (das Wort Wahrnehmung sagt aus, daß wir etwas für wahr halten) wofür wir empfänglich sind, also wofür wir die entsprechenden Schalter oder Antennen auf Durchlaß gestellt haben. Durch unsere Bewertungen entscheiden wir selbst welche und wieviele Schalter das genau sind.

6. Wechselwirkung unserer Gefühle mit der Wahrnehmung von Ereignissen und deren Bewertung

Wir sind geneigt alles was wir wahrnehmen als positiv oder negativ zu bewerten. Wie schon erwähnt, ist die positive Bewertung der negativen Bewertung keinesfalls vorzuziehen. Letztendlich führen sowohl die negative, als auch die positive Bewertung zu einer Störung des Energieflusses.

Wenn wir etwas negativ bewerten, dann verschließen wir uns der jeweiligen Frequenz oder Energie, lassen diese also nicht in unsere Zellen hinein. Wenn wir etwas positiv bewerten, dann würden wir diese Frequenz gerne in unsere Zellen hineinlassen, aber aus irgendeinem Grunde gelingt es uns nicht.

Schauen wir uns den Vorgang des Bewertens doch einmal genauer an.

54

Alles was wir wahrnehmen und bewerten hat immer, zwangsläufig etwas mit uns selbst zu tun. Lehne ich beispielsweise eine Charaktereigenschaft an jemand anderes ab, dann sagt das über mich aus, daß ich aus irgendeinem Grund nicht in Frieden mit genau dieser Charaktereigenschaft bin. Finde ich beispielsweise meinen Arbeitskollegen arrogant und bewerte diese Charaktereigenschaft negativ, dann habe ich entweder in einem früheren Leben unter genau dieser Charaktereigenschaft eines anderen gelitten, oder ich mag diese Charaktereigenschaft an mir selber nicht leiden und somit auch nicht an Anderen. In diesem Falle ist das Gefühl der Arroganz zwar vorhanden, es wird aber von mir unterdrückt und möglichst nicht gelebt. Diese unterdrückten Gefühle schaffen sich in Stress-Situationen Bahn und kommen dann zum Ausdruck, können also nur unter einem permanenten Energieaufwand weiterhin unterdrückt werden.

Bewerte ich beispielsweise die sportlich, dynamischen Charakterzüge meiner Freundin positiv, dann sagt das über mich selber aus, daß ich gerne auch so sportlich, dynamisch wäre wie meine Freundin, ich aber letztlich diese Charaktereigenschaften aus irgendeinem Grund nicht selber leben kann. In diesem Falle fehlt mir genau dieses Gefühl des sportlich, dynamischen und ich habe es aus irgendeinem Grunde abgespalten. Möglicherweise lebte ich einmal in Verhältnissen in denen diese Charaktereigenschaften von meinem Umfeld nicht gerne gesehen waren, möglicherweise also bestraft wurden, und ich kam zu dem Schluss, diese Charaktereigenschaften von mir abzuspalten. So eine Abspaltung von Seelenanteilen hinterlässt ein Gefühl der Unvollständigkeit und man hat den Eindruck nicht das Leben leben zu können, das man gerne leben möchte.

Die Auswirkung einer negativen oder positiven Bewertung sind also eine Unterdrückung oder Abspaltung der Gefühle in uns selbst. Auf Zellebene ist eine Bewertung immer ein nicht Hineinlassen dieser speziellen Frequenz des bewerteten Gefühls in unsere Zellen.

Wir sehen, daß es in der Auswirkung generell keinen Unterschied macht, ob wir etwas positiv oder negativ bewerten. In beiden Fällen lassen wir bestimmte Gefühle nicht zu. Die Bewertung an sich macht den Unterschied!

Egal, wie wir bestimmte Charaktereigenschaften bewerten, die Bewertung an sich trennt uns schon einmal von unseren Mitmenschen. Durch die Bewertung sind wir nicht in dem Gefühl der allseitigen Verbundenheit oder der bedingungslosen Liebe. Wir fühlen uns von unseren Mitmenschen getrennt: „Der ist arrogant" - ich bin demnach nicht arrogant. Ich nehme also meinen Mitmenschen als etwas anderes als mich wahr. Ich **bin** etwas anderes als meine Mitmenschen. Wir glauben, daß uns eher ähnliche Errungenschaften (Haus, Auto, Fernseher), der gleiche Lebensstil (Arbeit, Haushalt, Hobbies, Kinder), oder die gleiche Meinung über etwas, verbinden. Dies ist aber ein Trugschluß und führt früher oder später zu einer Enttäuschung. Es scheint uns generell nicht so wichtig wer wir sind (was genau wir zum Ausdruck bringen und leben) als was wir haben (besitzen). Nur durch das gleiche **Sein** können wir uns wahrhaft verbunden fühlen.

Des Weiteren verhindert eine Bewertung meiner Mitmenschen auch, daß ich meine Mitmenschen in ihrer Vollständigkeit wahrnehme. Ich nehme am jeweils anderen lediglich das wahr womit ich in Resonanz bin. Letztlich sind dies meine eigenen Blockaden und Wünsche, viele andere Charakterzüge meiner Mitmenschen entgehen mir derweil. Damit haben wir den Effekt, daß die exakt gleiche Person von verschiedenen Menschen völlig unterschiedlich bewertet werden kann. Die Bewertung ist also keineswegs objektiv, sondern rein subjektiv, also abhängig von demjenigen der beobachtet.

Nun kann ich nicht nur meine Mitmenschen, sondern auch Ereignisse und Situationen völlig individuell wahrnehmen und bewerten. Für die eine Frau ist beispielsweise eine Schwangerschaft das absolut höchste Glück auf Erden, für eine andere Frau kann eine Schwangerschaft möglicherweise eine Katastrophe bedeuten. Das gleiche Ereignis (also Schwangerschaft) kann sogar für die gleiche Frau je nach Zeitpunkt auch eine völlig unterschiedliche Bewertung erfahren. Generell werden Ereignisse und Situationen nach äußeren Umständen und dem richtigen Zeitpunkt bewertet. Um bei dem Beispiel Schwangerschaft zu bleiben, wären die äußeren Umstände beispielsweise, ob der Vater des Kindes den eigenen Erwartungen entspricht und der richtige Zeitpunkt, ob ich vielleicht der Meinung bin, ich müsse erst einmal eine Berufsausbildung abschließen, bevor ich mich der Familienplanung zuwenden könne.

Des Weiteren werden aber auch Ereignisse und Situationen von uns danach beurteilt, wie wir ein ähnliches Ereignis zu einem früheren Zeitpunkt bereits erfahren haben. Wenn ich also schon einmal vom Pferd gefallen bin, dann habe ich möglicherweise gewisse Ängste wieder auf ein Pferd zu steigen. Dieser frühere Zeitpunkt muß nicht in diesem jetzigen Leben gewesen sein. Wie ich schon erwähnte, ist der Reinkarnationsgedanke aus logischen Gründen zwingend notwendig. Nur über den Reinkarnationsgedanken läßt sich erklären wieso bereits sehr kleine Kinder unter Höhenangst, Angst vor Wasser oder anderen Ängsten leiden können, obwohl in dem jetzigen Leben kein ursächliches Ereignis auf solche Ängste schließen läßt.

Die Bewertung des zurückliegenden Ereignisses blockiert uns für bestimmte Gefühle. Dadurch können wir die jetzige Situation, die uns in irgendeiner Weise an das frühere Ereignis erinnert, nicht vollständig erfassen. Wir neigen dann zu Reaktionen, die für die jetzige Situation nicht hundertprozentig angebracht erscheinen. Wenn wir also schon einmal von einem Pferd gefallen sind, dann reagieren wir beispielsweise panisch, wenn wir wieder ein Pferd sehen. Die falsche vorprogrammierte Einstellung zu einem bestimmten Ereignis kann so weit gehen, daß wir die jetzige Situation völlig falsch einschätzen und dadurch wieder ein traumatisches Erlebnis haben, was den Fluß der Lebensenergie dann noch weiter blockiert. Als Beispiel diene die Angst vor Wasser, die durch ein mögliches Ertrinken in einem früheren Leben hervorgerufen wurde. Wenn wir dadurch in dem jetzigen

Leben panisch oder vielleicht ohnmächtig reagieren, wenn wir beispielweise von einem Boot aus ins Wasser fallen, dann kann diese Reaktion dazu führen, daß wir möglicherweise im jetzigen Leben wieder ertrinken. Aber auch weniger dramatische Ereignisse aus vergangenen Leben steuern unsere Gefühle und Handlungen in allen nachfolgenden Inkarnationen. Wir können uns beispielsweise folgendes Szenario vorstellen. In einem früheren Leben wurden wir beispielsweise für Träumen und Nachdenken des Öfteren bestraft. Damals wurde Träumen und Nachdenken möglicherweise als Faulheit angesehen und so entsprechend negativ bewertet. Wenn wir diese möglichen vergangenen Beschimpfungen und Bestrafungen nicht von einer höheren Warte aus sehen können, dann leiden wir womöglich darunter. Wir werden unser Verhalten irgendwie an die Situation anpassen müssen, um nicht weiterhin zu leiden. Das geschieht sehr individuell, man könnte sich z.B. vorstellen, daß wir den Seelenanteil, welcher gerne träumt und nachdenkt abspalten. Wir werden diesen Seelenanteil dann nicht mehr leben können, auch in allen nachfolgenden Leben nicht mehr. Genauso wahrscheinlich wäre, daß wir alle Menschen, die uns untergeben sind (z.B. unsere Kinder) auch für Träumen und Nachdenken bestrafen. Es könnte aber auch sein, daß wir durch dieses frühere Erlebnis der Bestrafung, unsere Kinder erst recht zum Träumen und Nachdenken ermuntern (auch wenn unsere Kinder möglicherweise völlig andere Interessen wie rumtoben, experimentieren oder basteln haben), weil wir eben gerade diese Bewertung unserer damaligen Umgebung nicht übernommen haben. Fakt ist, wenn wir unter einer bestimmten Situation leiden, dann werden wir immer wieder mit ähnlichen Situationen unsere Schwierigkeiten haben. Wir werden nie wirklich frei mit dieser Art von Situationen umgehen können, bis wir das zu Grunde liegende Ereignis genau betrachtet und erlöst haben. Also bis wir das zurückliegende, ursprüngliche Ereignis erfaßt und gelöst haben, so daß wir in Frieden mit dem Ereignis und allen daran beteiligten Menschen sein können.

Zusammenfassung: Das Bewerten von anderen Menschen oder Ereignissen, Situationen zeigt die Blockaden unserer Lebensenergie auf.

Es zeigt auf, welche Situationen wir noch nicht gelöst haben und womit wir noch nicht in Frieden sind. Negatives Bewerten ist in unserer Gesellschaft fast gleichzusetzen mit einer gewissen Kritikfähigkeit und ist somit salonfähig. Auf der anderen Seite scheint derjenige, der viel positiv bewertet spirituell eine gewisse Reife zu besitzen. Wie wir gesehen haben ist aber weder positives noch negatives Bewerten sowohl von Charaktereigenschaften von Menschen als auch von Ereignissen oder Situationen von Vorteil. Idealerweise sollten wir alles was ist, mit all seinen Vor- und Nachteilen als Ganzes, in seinem vollen Potential wahrnehmen. Es ist also eher eine **konstruktive Herangehensweise/Sichtweise** erforderlich. Dabei können und sollten wir die Dinge adäquat einordnen. Alles hat seinen Platz. Zum Mittagessen wünsche ich wahrscheinlich eher z.B. ein leckeres Nudel- oder Gemüsegericht und sicherlich keinen Kuhfladen auf dem Teller. Der Kuhfladen ist allerdings auf dem Feld als Dünger besser und sinnvoller eingesetzt. Passend eingeordnet ist alles richtig. Ich denke, über eine Spinne im Bett regen wir uns auf aber eine Spinne draußen im Wald an einem Busch nehmen wir fast nicht wirklich wahr.

6.1 Projektion

Da die einmal gefaßte Bewertung zuerst bewußt und nach einer gewissen Zeit unbewußt gespeichert ist, haben wir keine rechte Ahnung davon, wieso wir auf ein Ereignis so oder anders reagieren. Wir nehmen auch an, daß jeder andere in einer ähnlichen Situation genauso reagieren würde wie wir, was dann eher zu Unverständnis unserer Umgebung führt, woraufhin wir dann wiederum unsererseits enttäuscht reagieren, da wir uns nicht verstanden fühlen. Uns ist nicht klar, aus welchem ursprünglichen Anlaß heraus wir genau so fühlen und handeln wie wir es eben tun. Stellen wir uns hierzu folgendes Beispielszenario vor: Stellen wir uns vor, ich sei in einem früheren Leben aufgrund eines Schiffsunglückes ertrunken. Durch dieses traumatische Ereignis, empfinde ich seither vielleicht eine wahnsinnige Angst vor Wasser und lehne generell vielleicht Bootsfahrten ab. Für dieses jetzige Leben habe ich mir möglicherweise vorgenommen dieses damalige Trauma meines Todes zu heilen. Vor meiner jetzigen Inkarnation habe ich mich vielleicht dafür entschieden in den Bergen weit ab vom Meer aufzuwachsen. Mein Vater vielleicht erfolgreicher Trainer einer Schwimm-Mannschaft, versucht aus mir eine Erste-Klasse-Schwimmerin zu machen. Diese Wahl meines Geburtsortes und meines Vaters würde, wie schon erwähnt, nicht verstandesmäßig erfolgen, sondern würde rein gefühlsmäßig ablaufen. Ich würde mich in einem solchen Falle zu genau dieser Situation hingezogen fühlen, genauso, wie ich mich jetzt vielleicht zu einem Spaziergang hingezogen fühle. Da ich ja eine Angst gegenüber Wasser verspüre, würde ich in diesem beschriebenen Beispielszenario, vielleicht anfangen meinen Vater für seine Art mich zu einer Erste-Klasse-Schwimmerin zu machen ablehnen. Ich würde also meine Abneigung gegenüber der Situation, daß mein Vater aus mir eine brillante Schwimmerin machen möchte, auf meinen Vater projizieren. Ich würde ihm die Schuld geben, warum ich Wasser generell haße, ich würde ihm die Schuld für meine Ängste und meine unguten Gefühle geben.

Generell **projizieren** wir also unsere Bewertung und unser Verhalten auf unsere Außenwelt. Beispielsweise mußte ich immer schreien und ausflippen, wenn mein Vater mit mir an den See fahren wollte und ich sehe dann mein Verhalten als Wirkung der Aktion meines Vaters. Mein Beispielvater wäre dann also an meinen Gefühlen und an meinem Verhalten in diesen Situationen **Schuld**. Die „Anderen" sind sowieso an so ziemlich Allem Schuld! Wir erkennen nicht, daß die Ursache für unsere Gefühle und damit für unser Verhalten entweder in einer vorhergehenden Inkarnation oder aber in dieser Inkarnation in der Vergangenheit, immer aber **in uns** zu finden ist.

Energetisch betrachtet, projizieren wir unsere eigenen Ansichten über das Leben und unsere Blockaden der Lebensenergie auf unsere Außenwelt und nehmen die **Auswirkungen** dieser Blockaden bei anderen wahr. Letztendlich gibt es ja nur die Lebensenergie, die eben bei dem Einen so und bei dem Anderen anders umgelenkt oder blockiert wird. Wir als Lebensenergie mit unseren Blockaden nehmen nur wahr, was zu uns nicht harmonisch ist. Damit scheint es fast so, als würden wir Menschen und Situationen anziehen, die disharmonisch zu uns sind. Dies ist nur zum Teil richtig, weil wir die disharmonischen Aspekte stärker wahrnehmen um eben auch durch sie wachsen und reifen zu können. Haben wir beispielsweise eine Abneigung zu dem Vorhaben einen Urlaub am Meer zu verbringen, dann wird unser Lebenspartner wahrscheinlich lieber ans Meer fahren als in die Berge. Oder wir werden irgendwann einmal aus gesundheitlichen Gründen eine Kur am Meer verschrieben bekommen. Wir werden in irgendeiner Form in jedem Falle mit dieser und allen anderen unserer Blockaden konfrontiert werden. Ein einzelnes Leben kann hierbei als Abbild der vorangegangenen Leben angesehen werden. Wollen wir glücklich sein, gilt es demnach möglichst viele Blockaden der Lebensenergie zu erkennen, diese zu transformieren und dadurch zu einem Zustand zu gelangen wo wir in Harmonie mit allem was ist sein können. Das bedeutet, daß es nicht nur darum geht alle Ausdrucksformen des Lebens, also Tiere, Pflanzen, andere Menschen, sondern auch alle Lebensbedingungen (Hitze, Kälte, Krieg, Frieden usw.) anzunehmen und zu lieben und jegliche Ängste oder andere beklemmenden Gefühle, die wir möglicherweise in Anbetracht bestimmter Lebensformen oder –Situationen haben zu betrachten und zu transformieren.

Letztlich kann man sich die energetisch sehr aufwendige und noch dazu sinnlose Mühe sparen, die Dinge im Außen lösen zu wollen. Wir müssen nur vollständige Macht über unsere eigenen Gefühle und Gedanken haben um im Außen entsprechende Veränderungen zu bewirken.

Wichtig hierbei ist zu erkennen, daß alles was im Außen stattzufinden scheint aus einem in einem selbst verankerten Grunde anschwingt. Man denkt z.B. die Situation, die einen so aufregt oder verletzt, würde im Außen stattfinden, deswegen versucht man ja auch die äußeren Begebenheiten zu ändern, aber die Gefühle erlebt man ja eindeutig selber, also im Innern. Man kann also sagen, daß das Ereignis zwar außerhalb von einem selber stattfindet, aber die Erfahrung des Gefühls, welches durch das Ereignis entsteht, erfolgt in uns. Man kann aber auch so weit gehen und sagen, daß es gar kein Außen und Innen gibt. Es gibt nur ganz individuelle Blockaden der Lebensenergie. Aus diesen individuellen Blockaden der Lebensenergie entstehen dann individuelle Betrachtungen, Bewertungen des Lebens und dies gibt uns den Eindruck der Abgrenzung zwischen Innen und Außen.

Zusammenfassung: Ein Ereignis, welches im scheinbaren Außen stattfindet entscheidet nicht über unsere Gefühle, sondern wir individuell entscheiden was wir zu einem gegebenen Ereignis empfinden. Wir entscheiden nicht nur welches Gefühl wir zu einem Ereignis haben, sondern wir entscheiden auch, welche Ereignisse in unserem Leben stattfinden. Dies geschieht zumeist unbewußt aufgrund der vorhandenen Programme, die in unserem Energiesystem gespeichert sind. Wir können durch das bewußte Betrachten unserer Gefühle, diese vorhandenen Programme erst einmal erkennen und danach bewußt in Programme umwandeln, die genau das in unser Leben ziehen, was wir uns wünschen. Das Erkennen der vorhandenen Programme geschieht über das bewußte Betrachten der Gefühle, die wir Situationen oder anderen Menschen entgegenbringen. Dadurch können wir viel über uns selber lernen. Für gewöhnlich projizieren wir unsere eigenen Blockaden auf unsere Außenwelt und nehmen in der Außenwelt nur das wahr, was mit uns nicht in Harmonie ist, das kann sowohl positiv als auch negativ sein.

7. Warum speichern wir Gefühle?

Nun widmen wir uns aber noch einmal der Frage, warum wir Gefühle, oder (was das Gleiche ist) Energien überhaupt speichern.

Zum Einen speichern wir Unmengen an Gefühlen durch Ereignisse die wir in irgendeiner Weise bewerten. Also ich falle beispielsweise vom Pferd, und da ich dieses Ereignis als nicht angenehm empfinde, speichere ich die Energie in Form einer Information, die mich davor bewahrt, mich in Zukunft wieder auf ein Pferd zu setzen. Ich speichere diese Information als ein Gefühl. Dieses Gefühl (samt dahinterliegender Information), habe ich beispielsweise immer dann, wenn ich ein Pferd sehe. Es handelt sich hierbei immer um Situationen, die wir in irgendeiner Weise nicht eindeutig liebevoll annehmen können oder nicht wirklich verstanden haben. Also ich nehme den Sturz vom Pferd nicht als Teil des Lebens an, ich lehne es ab, ich lehne es soweit ab, daß ich das Ereignis nicht noch einmal erleben möchte. Wenn wir etwas ablehnen zeigt unsere Haltung auch immer ein gewisses Maß an Unverständnis der jeweiligen Situation gegenüber. Vielleicht hat uns das Pferd, auf das ich mich einfach gesetzt habe in irgendeiner Form durch sein Verhalten mir gegenüber vorher bereits zu verstehen gegeben, daß es „einen schlechten Tag hat" und nicht gewillt ist mit mir auf seinem Rücken auszureiten. Die Situation zeigt in einem solchen Falle eine Disharmonie zwischen mir und meiner Umwelt auf, dessen Ursache es zu ergründen gilt.

Zum Anderen speichern wir Gefühle damit wir sie leben können. Wir können sie nur leben, wenn wir sie auch in uns tragen, also speichern. Dieses Speichern erfolgt durch eine **Intention**. Das gilt natürlich grundsätzlich für alle Gefühle mit positiver oder negativer Intention. Also beispielsweise durch die Intention einen Blumengarten anzulegen. Sobald ich eine Intention habe, bewege ich Energien. Nun kann ich eine lebensbejahende Intention haben, welche im Sinne der Schöpfung ist (also ich will etwas erschaffen), oder ich kann eine lebensverneinende Intention haben (ich möchte etwas zerstören). Bei der lebensbejahenden Intention wird mich das Universum unterstützen, da das auch bedeutet, daß ich die Lebensenergie in mich hineinlasse (zumindest ein Stück weit) und eben nicht blockiere. Ich habe also mehr Energie zur Verfügung um mein Vorhaben zu gestalten, zu erschaffen.

Bei der lebensverneinenden Intention, blockiere ich die Lebensenergie und möchte etwas oder jemanden zerstören. Dieses Vorhaben ist energetisch ungünstiger, und damit eher zum Scheitern verurteilt, als das lebensbejahende Vorhaben. Nun fällt hierbei auf, daß Zerstörung z.B. in Form von Kriegen durchaus existiert, also vom Universum wohl doch in irgendeiner Form unterstützt wird. Um dies verstehen zu können, muß man beachten, daß bei Kriegen und Ähnlichem, viele Menschen solche Vorhaben durch ihre Intention unterstützen. Warum lebensverneinende Vorhaben unterstützt werden ist vielfältig. Z.B. aus Unwissenheit („Wenn ich im Kampf sterbe, bin ich ein Held"), oder persönlichem Vorteil (Ego), aber unabhängig von den jeweiligen Gründen, bleibt die Tatsache, daß das Negative, Niedrigschwingende von vielen Menschen unterstützt wird und zur gleichen Zeit das Positive relativ gering ist und dementsprechend nicht genügend Energie zur Verfügung steht um dem negativen Vorhaben zu trotzen. Des Weiteren gibt es durchaus Zeitphasen in dem auch das vermeintlich Negative seinen Platz hat, erlebt, erfahren werden möchte. Das Universum bewertet nicht!

Möchten wir dem Negativen etwas entgegensetzen, so kann das nur in Form von Positivem geschehen. Diese Tatsache liegt in der Natur des Dualismus begründet. Wenn wir uns z.B. die Temperatur anschauen, dann kann ich Kälte nicht durch noch mehr Kälte „besiegen", sondern nur dadurch, daß ich in irgendeiner Form Wärme erzeuge. Das Beispiel Temperatur ist kein Synonym, sondern gilt für alle in der Natur vorkommenden Größen, so auch für die Gefühle. Es ist immer der duale Partner der für Ausgleich sorgt, also Unkenntnis wird mit Wissen ausgeglichen, Haß wird durch mehr Verständnis, Verbundenheit und damit mehr Liebe ausgeglichen, usw. Man muß letztendlich nur wissen worin der bestehende Mangel begründet ist, um dann den Mangel ausgleichen zu können.

Erwähnenswert ist hier noch, daß ab einem bestimmten Punkt der gegenteilige, paradoxe Effekt auftritt. Man könnte das Phänomen so beschreiben, daß wenn ich z.B. auf der Erde immer weiter nach Westen gehe, irgendwann im Osten wieder ankomme. Oder, wenn ich auf der Haut Erfrierungserscheinungen habe, dann sehen diese wie Brandwunden aus. Es gibt einen wunderbaren physikalischen Prozeß, der das sehr schön illustriert, die Supraleitung. Wenn ein supraleitendes Material gekühlt wird, dann ändert sich die Leitfähigkeit (die Fähigkeit Strom zu leiten) des Materials. Um so tiefer die gewählte Temperatur am Material anliegt, um so weniger leitet das Material den Strom. Ab einer für das Material spezifischen Temperatur ändert sich jedoch die Leitfähigkeit des Materials schlagartig und das Material leitet den Strom so gut, daß der Widerstand der dem Strom etwas entgegensetzt, praktisch Null ist.

Wenn wir dieses Phänomen der Supraleitung auf unser Thema Gefühle übertragen, so stellen wir fest, daß wir uns in einem völlig anderen Zustand befinden, wenn alle unsere „Schalter" für die Lebensenergie, auf Durchlaß stehen, als wenn einige offen, andere wiederum geschlossen sind. Erst wenn wirklich alle „Schalter" offen also durchlässig für die Lebensenergie sind, dann fühlen wir uns wirklich mit allem verbunden, und wir erkennen, daß wir alle Eins sind. Das ist dann der Zustand der Erleuchtung.

Zusammenfassung: Wir haben also gesehen, wie und warum wir Gefühle speichern und daß uns diese gespeicherten Gefühle auch nach dem körperlichen Tod noch erhalten bleiben.

Aufgrund unserer energetischen Blockaden bewerten wir Ereignisse jeweils anders und gehen mit Situationen auch unterschiedlich um. Es gibt also eine Kopplung von Ereignissen, deren Bewertung und damit einhergehenden Gefühlen.

Könnte man nun auch soweit gehen, daß wir individuell auch bestimmte Situationen, die für unser Energiesystem charakteristisch sind anziehen? Oder entstehen die Ereignisse, die Erfahrungen, die wir machen zufällig?

8. Wie entsteht ein Ereignis? Ursache, Wirkung, Sinn des Lebens

Wir wissen, daß wir ein Energiesystem haben, letztlich sind wir dieses Energiesystem. Dieses Energiesystem besteht aus Schwingungen, aus Frequenzen. Die Schwingungen und Frequenzen generieren unseren Körper. Zwei Menschen sind also unterschiedlich, weil sie aus verschiedenen Frequenzgemischen bestehen. Diese Frequenzgemische stellen unsere Gefühle dar. Gefühle, die wir als angenehm empfinden, sind frequentiell höher, als Gefühle, die wir als unangenehm empfinden. Die angenehmste, höchste Schwingung, die es für uns gibt, ist die Lebensenergie selbst. Ich denke bei der Lebensenergie in ihrer reinsten Form, handelt es sich im herkömmlichen Sinne nicht mehr um eine Schwingung, da eine Schwingung nur innerhalb eines zeitlichen Rahmens existiert, die Lebensenergie selbst aber zeitlos ist. Wir berühren hier aber physikalische Bereiche, die im Rahmen dieses Buches zu weit führen würden.

Nun können wir diese Lebensenergie, die in uns und durch uns fließt, blockieren und umleiten. Dies tun wir beispielsweise, indem wir alles was wir im "Außen" wahrnehmen positiv oder negativ bewerten. Wir lehnen dann beispielsweise Dinge die offensichtlich Teil des Lebens sind (da sie ja existieren) ab. Dies tun wir dann nicht nur im "Außen", sondern genauso "Innen", also in uns und damit lenken und formen wir unsere Lebensenergie. Daß wir mit unseren Bewertungen und unseren Anschauungen unsere Lebensenergie formen, können wir beobachten indem wir uns Menschen anschauen, die das gleiche Hobby oder den gleichen Beruf haben. Diese Menschen verfügen oft auch äußerlich über erstaunliche Ähnlichkeiten. Dies ist natürlich umso eindrücklicher, umso stärker die Ansichten und Bewertungen des "äußeren" Lebens geteilt werden.

Diese Schwingung, oder dieses Frequenzgemisch, was uns also ausmacht, interagiert nicht nur mit anderen Schwingungen (also beispielsweise mit anderen Menschen, die auch Schwingungen aussenden) und überlagert sich mit diesen; durch unsere Schwingung generieren wir auch unsere Umgebung unser Umfeld. Das bedeutet, wenn wir uns z.B. einmal ein Kaninchen genauer anschauen, dann stellen wir fest, daß das Kaninchen mit allem ausgestattet ist, was es zum Leben in und auf der Erde in gemäßigten Breitengraden so braucht. Es hat Fell, was es im Winter bei kühlen Temperaturen schützt, es hat Vorderpfoten mit stabilen Krallen, mit denen es sehr gut einen Kaninchenbau graben kann usw.. Dazu kommt, daß die Nahrung, die das Kaninchen braucht, direkt auf der Erde wächst und nicht etwa in den tiefen eines Ozeans. Energetisch betrachtet, könnte man sagen, daß sich die Energie des Kaninchens erdverbunden fühlt. Das Kaninchen möchte gerne in der Erde wühlen und dort auch wohnen. Es liebt die Knollen und Gräser, die in und auf der Erde wachsen. Man kann nun auch noch weiter gehen. Das Kaninchen muß wachsam sein, denn in seiner Welt gibt es Feinde, deswegen wird viel Nachwuchs in die Welt gesetzt und im Falle einer Verfolgungsjagd wird alles dafür getan um schneller und gewitzter zu sein als der Verfolger. Die Energie des Kaninchens glaubt und fühlt also wie eben beschrieben und kreiert daraufhin einen Körper, der aussieht wie das eines Kaninchens um, genau wie es der Weltanschauung des Kaninchens entspricht, leben zu können eben wie ein Kaninchen. Aus einem bestimmten Gefühl folgt also ein bestimmter Körper und auch ganz bestimmte Lebensbedingungen. Möchte unser Beispiel-Kaninchen nun diese Situation verlassen, dann nützt es ihm wenig, wenn es anfängt beispielsweise Möhren zu hassen, oder eine Giraffe wegen ihres langen Halses und ihrer völlig andersartigen Lebensart zu bewundern. Um in möglichst völlig anderen Lebensbedingungen leben zu können, müssen wir die Situation in der wir uns befinden, möglichst vollständig transzendieren- die Situation muß also vollständig verstanden werden und daraufhin können wir ein neues, anderes Gefühl wählen und mit diesem etwas anderes, ein anderes Leben, ein anderes „Außen" erschaffen. Diese Transzendenz läßt sich recht schwer mit Worten beschreiben (der Transzendenz widmen wir uns noch eingehender in dem Kapitel 10: „Wie können wir unsere Gefühle verändern?").

Die Ursache für etwas was scheinbar im Außen stattfindet ist also eine Schwingung, die wir durch unsere Gefühle, unsere Gedanken, und damit durch unsere Bewertungen erzeugen. Diese Schwingung bewirkt etwas im Außen. Alles was wir im Außen wahrnehmen ist also eine Wirkung von dem was wir aussenden. Jeder von uns nimmt das Äußere sehr individuell wahr. Das Äußere hat also einen speziellen, individuellen Bezug zu uns. Wenn ich beispielsweise Motorräder nicht mag, oder besonders gerne mag, dann sehe ich an jeder Straßenecke ein Motorrad. Motorräder fallen mir dann in einem speziellen, individuellen Kontext auf. Wenn ich die Motorräder nicht mag, dann werde ich mich möglicherweise über die Lärm- oder Abgasbelästigung aufregen. Mag ich Motorräder, dann finde ich womöglich den speziellen Sound der Abgasanlage besonders interessant oder verbinde ein Gefühl der Freiheit mit dem Besitz eines solches Gefährts. Jemand anderes sieht in derselben Situation sicherlich etwas völlig anderes (z.B. die Konditorei auf der gegenüberliegenden Straßenseite). Ich könnte natürlich genauso anstelle der Motorräder die Konditorei auf der gegenüberliegenden Straßenseite wahrnehmen, aber die sagt mir nichts. Ich habe vielleicht kein spezielles Faible für Backwaren und Süßigkeiten. Wenn wir hingegen auf andere Aspekte unserer Außenwelt aufmerksam gemacht werden, dann sehen wir diese schon, nur nehmen wir diese nicht besonders wahr. Mein Partner weiß z.B. eher wo in unserer Stadt Photogeschäfte und Computerläden sind, ich weiß vielleicht eher wo die Cafés und Wollläden sind. Mein Partner nimmt aufgrund seiner Interessen und Vorstellungen also etwas anderes wahr als ich. In diesem Zusammenhang scheint es belanglos zu sein, ob ich eher weiß wo ein Photoladen oder ein Wollladen ist. Nur handelt es sich hierbei um ein Naturgesetz dieses ist immer gültig. Alles was ich wahrnehme oder für wahr halte hat grundsätzlich immer mit mir zu tun. "Es geschehe nach Eurem Glauben." Dieser Satz bedeutet nicht, daß das was ich glaube einfach eintritt. Er bedeutet viel mehr, daß wenn ich beispielsweise davon ausgehe, daß es keine Gefahren gibt und demnach recht blauäugig durch das Leben gehe, diese Gefahren zwar nicht wahrnehme, Gefahren aber dennoch vorhanden sind und ich auch irgendwann einmal aufgrund einer gewissen Wahrscheinlichkeit mit Gefahren konfrontiert werde.

Ich kreiere also mit dem was ich wahrnehme und wie ich es wahrnehme meine spezielle Wirklichkeit, die mit der Wahrheit so rein gar nichts zu tun haben muß.

Aufgrund unserer Bewertungen und Ansichten, welche wir vom Leben haben, nehmen wir also nur individuelle, ganz bestimmte Dinge im Außen wahr. Wir wissen nicht, daß unsere Bewertungen und Ansichten unser Umfeld prägen.

Wir glauben zusätzlich, daß wir äußere Gegebenheiten im Außen lösen können. Wir glauben sogar, daß wenn sich im Äußeren etwas ändert sich auch unser Gefühl ändern würde. Wir brauchen also nur die richtige Arbeitsstelle, den richtigen Partner, die richtige Wohnung usw. und dann sind wir glücklich. Wir glauben also umgekehrt, daß wenn wir das Äußere ändern, wir unser Gefühl ändern. Hier ist also Ursache und Wirkung vertauscht! Wir versuchen das was die Wirkung ist (das Außen) zu ändern und vergessen, daß die Ursache des Äußeren unsere Gefühle und Gedanken (also unser Inneres) sind. Wenn wir das Außen ändern wollen, dann müssen wir die Ursachen dafür verändern und dies sind unsere Gefühle und Gedanken!

Um die eigentliche Wirkung, also das Äußere, zu kontrollieren, zu steuern, gehen wir sogar so weit Gefühle vorzutäuschen. Die Konditionierung beginnt im Kindesalter: "Wenn ich meinen Eltern gehorche, dann bekomme ich vielleicht ein tolles Weihnachtsgeschenk.", "Wenn ich mein Zimmer aufräume, dann hat mich meine Mutter lieb" und setzt sich im Erwachsenenalter fort: "Wenn ich die gleiche Meinung wie der Chef habe, bekomme ich eine Gehaltserhöhung." usw. Wir täuschen also ein Gefühl vor (ich habe die gleiche Meinung wie mein Chef), um einen bestimmten Effekt bei jemandem zu erreichen (Wohlwollen), der dann etwas im Außen tut (Gehaltserhöhung), wovon wir uns erhoffen, daß es ein bestimmtes Gefühl (Glück, Sicherheit) in uns erzeugt.

Da wir glauben, daß die Ursache für alle Mißstände im Außen liegt, ist es auch logisch, daß wir uns so sehr auf das Außen konzentrieren. Unsere ganze Energie richtet sich nach dem Streben durch Eingriffe im Außen eine Wirkung in uns zu erzielen. Das Ganze geht sehr weit und treibt erstaunliche Blüten, so daß wir z.B. auch durch Schönheitsoperationen versuchen einen Effekt bei anderen auszulösen. Dieser Effekt im Außen soll dann wiederum ein Ergebnis in uns haben. Der regelrechte Hype nach Ruhm und Reichtum zeigt wie süchtig wir nach bestimmten Gefühlen geworden sind. Selbst wenn wir letztlich Ruhm und Reichtum erreichten, würde es uns nicht glücklich machen, da unsere Zellen dieses Gefühl "Glück" anscheinend blockieren. Würden unsere Zellen das Gefühl "Glück" nicht blockieren, wären wir auch ohne Ruhm und Reichtum glücklich. Ein Gefühl ist nie an äußere Bedingungen geknüpft. Ein Gefühl IST.

Grundsätzlich sollte das was wir tun von Innen kommen, also aus eigenem Antrieb, aus Liebe an der Aufgabe, und nicht um etwas dafür zu erhalten. Wenn wir alles was wir tun gerne tun, können wir auch etwas Sinnvolles erschaffen. Wir sollten für das was wir tun nicht etwas Bestimmtes erwarten, da das Gefühl des freudigen Tuns schon die Belohnung beinhaltet. Wir erhalten nicht Liebe, wenn wir so oder so sind oder dies oder das tun (und wenn, dann nur von den „falschen" Leuten)! Wenn man sich verbiegt und somit dann letztlich nur für die Show geliebt wird, dann ist das nicht nahrhaft! Wenn wir authentisch sind, dann ist es wiederum egal, ob andere das toll finden was wir so tun, oder nicht! Es ist egal, ob das Anerkennung findet oder nicht, ob es bezahlt wird, oder nicht. Wenn wir das lieben was wir tun, dann werden wir uns auch nicht auf das Rentenalter freuen, sondern den Moment genießen! Wenn wir nur arbeiten um das Rentenalter irgendwann einmal zu erreichen, dann werden wir sicherlich enttäuscht sein. Entweder wird kurz vor unserem Rentnerdasein, daß Rentenalter kurzer Hand angehoben, oder, da wir das Leben bis dahin nicht all zu sehr genossen haben, werden wir krank, oder wir müssen unseren Partner pflegen, oder, oder…

Anhand dieser Gedanken erkennen wir leicht, daß wir mit Versprechungen, die sich möglicherweise in der Zukunft erfüllen, sowie vorgetäuschten Gefühlen andere manipulieren können und somit Macht über andere haben. Hier gilt es sein eigenes Leben diesbezüglich zu betrachten und zu schauen, wo Andere über uns Macht ausüben und wir etwas tun, was wir eigentlich nicht möchten, und auch wo Andere wiederum in unserer Abhängigkeit sind und wir falsche Versprechungen und Hoffnungen wecken.

Es bedarf natürlich einiges an Mut und Stärke authentisch zu leben und sich eben nicht in anderer Leute Konzepte oder gar Abhängigkeiten hineinziehen zu lassen.

Zusammenfassung: Wir haben gesehen, daß unsere Gefühle und unsere Gedanken unsere Wahrnehmung steuern. Man könnte sagen, unsere Gefühle und Gedanken bedingen unsere Wahrnehmung. Wir versorgen das was wir wahrnehmen mit Energie und erwecken es quasi zum Leben. Dies bedeutet auch, daß wenn wir unsere Aufmerksamkeit überall gleichzeitig lenken, auch sehr viel Energie verloren geht.

Wir können unser Leben nicht dadurch gestalten, indem wir die äußeren Gegebenheiten modifizieren. Unser Leben läßt sich damit gestalten, indem wir unsere Gefühle und unsere Gedanken ändern. Das Äußere folgt dann unseren Gefühlen und ändert sich dementsprechend. Auch durch unechte vorgetäuschte Gefühle läßt sich nicht dauerhaft ein Leben zum Glücklicheren wenden.

Generell gilt es Gefühle direkt zu erzeugen, einerseits nicht über Anschaffungen im Äußeren und auch nicht über die Vortäuschung unechter Gefühle. Fakt ist, wir sind nur dann glücklich, wenn wir glücklich sind und nicht, wenn wir Dieses oder Jenes haben oder, wenn die äußeren Bedingungen Diese oder Jene sind. Es existiert nur der Moment, somit kann ich das JETZT nur ändern indem ich JETZT meine Gefühle ändere! Diese Änderung erreiche ich, indem ich mir anschaue welches Gefühl dem gewünschten Gefühl entgegensteht. Nur mit der Änderung meines Gefühls kann ich das "Außen" verändern. Ursache für das „Außen" ist also das Gefühl, Wirkung unseres Gefühls ist das „Außen".

Die Lebensenergie an sich ist Ursache und Wirkung in einem. Man könnte sagen die Lebensenergie IST und damit entzieht sie sich jedem Ursache-Wirkungsmechanismus.

9. Wie entsteht ein Ereignis? Schicksal/Zufälle, Wahrscheinlichkeiten/Möglichkeiten

Wir wissen, daß die Ursache von allem was wir im "Außen" wahrnehmen unsere eigenen Gefühle und Gedanken sind. Nun können wir auch verstehen, warum es vom wissenschaftlichen Standpunkt aus gar keine Zufälle gibt. Ein Zufall wäre ein Ereignis, welches keine Ursache hat. Wenn ein Ereignis stattfindet, dann suchen wir die Ursache im Außen. Wenn sich keine Ursache im Außen findet dann geschieht dieses Ereignis unserer Ansicht nach zufällig. Die Ursache für jedes Ereignis sind aber immer unsere Gefühle und Gedanken.

Dieses Kapitel soll nun klären, wie aus unseren Gefühlen und Gedanken äußere Ereignisse entstehen.

Stellen wir uns einmal vor, wir erleben etwas zum ersten Mal. Dieses erste Mal bezieht sich nicht nur auf diese Inkarnation, sondern natürlich grundsätzlich auf alle Inkarnationen.

Wenn wir also etwas zum ersten Mal erleben und noch keine bereits bestehenden Erlebnisse in uns vorhanden sind, dann werden diese Erlebnisse in Form von Energien gespeichert. Erleben wir etwas Ähnliches nochmals, werden die neuerlichen Erlebnisse und Erfahrungen wieder in Form von Energien gespeichert, hierbei werden die bereits bestehenden Energien nicht überschrieben, sondern um die neu hinzukommenden Energien ergänzt. Dabei entstehen dann komplexe Energiemuster. Also im Grunde genommen werden permanent die

Gefühle, die uns am meisten beeindrucken in Form von Energien gespeichert. Diese Energien stehen in Verbindung mit Gedanken, Bildern und anderen Sinneseindrücken.

Gelöscht wird so eine Energie oder gar ein ganzes Energiemuster nie, es sei denn, wir treffen eine bewusste Entscheidung, gehen bewusst zu dem betreffenden Erlebnis zurück, beleuchten die gespeicherten Eindrücke und betrachten diese aus einer höheren, übergeordneten Sichtweise heraus. Aus dieser übergeordneten Sichtweise heraus, begreifen wir die bereits gemachte Erfahrung anders und können somit gespeicherte Gefühle in höher frequentielle Energien umwandeln also transformieren oder gar transzendieren, also löschen.

Diese gespeicherten Energiemuster, bestimmen nicht nur unseren Körper mit all seinen Eigenarten, sondern auch unsere Wahrnehmung und damit unsere Möglichkeiten. Wenn ich glaube, daß Leben ist hart und man muß schwer arbeiten um überhaupt so einigermaßen über die Runden zu kommen, dann werde ich eine recht einfache Möglichkeit des Broterwerbs nicht nur nicht sehen, sondern diese Möglichkeit wird es in meinem näheren Umfeld schlichtweg nicht geben.

Fakt ist, daß es Menschen gibt, die für ihren Lebensunterhalt nicht so hart arbeiten müssen. Diese Menschen empfinden nicht nur das Leben als völlig anders als derjenige, der es als hart empfindet, diese Menschen sehen in Ihrem Umfeld auch andere Möglichkeiten das Leben zu gestalten. Der Glaubenssatz: "Das Leben ist hart" ist kein Naturgesetz, sonst würde dieses Naturgesetzt ausnahmslos für alle Lebewesen gelten! Dadurch, daß es sich hierbei um einen Glaubenssatz handelt, können wir diesen entsprechend umwandeln also in etwas Aufbauendes verwandeln. Mit diesem uns dann eigenem neuen Schwingungsfeld ergeben sich dann völlig neue Möglichkeiten.

Energetisch gesehen, sind immer alle Möglichkeiten (alle Frequenzen) vorhanden. Diese unendlich vielen Möglichkeiten sind nur nicht für jeden vorhanden. Jeder Einzelne bestimmt durch sein individuelles Energiefeld auch seine individuellen Möglichkeiten. Dabei ist jeder Einzelne nur in der Lage, diejenigen Erfahrungen aus den vielen vorhandenen Möglichkeiten auszuwählen, die frequentiell zu ihm passen. Also nahe an seiner eigenen Frequenz liegen. Durch Änderung dieser eigenen Frequenz erhöht sich automatisch die Anzahl der Möglichkeiten, die jedem Einzelnen von uns persönlich zur Verfügung stehen. Leben wir also in dem Gefühl der Liebe, der Verbundenheit (höchste Frequenz), dann haben wir unendlich viele Möglichkeiten, die alle gleich wahrscheinlich sind.

Grundsätzlich werden zu große energetische Sprünge im Außen vermieden, da es energetisch ungünstig ist und somit zu viel Energie verbrauchen würde. Ich kann also nicht eine bestimmte frequentielle Schwingung haben und dann versuchen durch eine äußere Aktion mein Leben völlig umkrempeln und dadurch erhoffen energetisch eine völlig andere Schwingung zu erreichen. Es ist also eher unwahrscheinlich, daß ich eben noch Karawanenführer in der Wüste war und eine Woche später als Bundeskanzler in das deutsche Bundeskanzleramt ziehe. Es ist höchst unwahrscheinlich, es gibt aber eine, wenn auch minimale Wahrscheinlichkeit für letztendlich jede Erfahrung für jeden von uns. Nun ist es aber auch noch so, daß der Karawanenführer in der Wüste sicherlich von anderen Erfahrungen träumt, als ausgerechnet deutscher Bundeskanzler zu werden. Das liegt daran, daß jeder von uns eine bestimmte Schwingung hat und somit auch von den Erlebnissen träumt die dieser Schwingung entsprechen. Ein Kaninchen träumt von Möhren und nicht von Algen im Meer. Es träumt von dem wofür es eben auch in diesem Leben ausgestattet (erschaffen) ist.

Ein Ereignis findet nicht „einfach so" also zufällig statt. Das Kaninchen wacht nicht plötzlich eines Morgens auf und ist ein Fisch, sowie der Karawanenführer nicht plötzlich eines morgens im Bundeskanzleramt aufwacht. Dieser Veränderung geht immer eine Erkenntnis und darauffolgend eine Intention, eine Absicht voraus. Alleine diese Intention wäre in diesen Fällen sicherlich nicht vorhanden, da unser

Karawanenführer sicher von anderen für ihn erstrebenswerteren Ereignissen träumt.

Nun könnte man bei diesem Beispiel zu der Vermutung gelangen, daß der Karawanenführer sicherlich in der Wüste geboren wurde, möglicherweise einen Vater und auch Großvater hatte, die schon Karawanenführer gewesen sind, und deswegen schon nicht allzu viele Möglichkeiten hat, nun als Bundeskanzler in Deutschland gewählt zu werden. Das heißt, daß er quasi dazu verdammt ist, wie sein Großvater und Vater, auch Karawanenführer in der Wüste zu werden. Wir sprechen in einem solchen Falle von einem unabänderlichen Schicksal. Aber Vorsicht. Auch hier kommt das Thema Reinkarnation zum Tragen. Energie kann einfach nicht verloren gehen, nur umgewandelt werden (eines der fundamentalen Gesetze der Physik, der Energieerhaltungssatz). Dadurch, daß der heutige Karawanenführer schon **vor** seiner Geburt, aufgrund von bereits gemachten Erfahrungen in vergangenen Leben, eine bestimmte Charakteristik oder ein bestimmtes Frequenzgemisch aufwies, hatte er auch diese bestimmten Eltern ausgewählt um eben diese bestimmte Erfahrung als Karawanenführer in der Wüste machen zu können. Er hat nicht nur seine Eltern und sein gesamtes Umfeld ausgesucht, sondern auch die Zeit in der er geboren wurde. Da nämlich in dem Falle für den Karawanenführer nur an bestimmten Orten, zu bestimmten Zeiten ganz bestimmte Erfahrungen möglich sind! Grundsätzlich sind aber immer alle Erfahrungen möglich.

Betrachten wir dazu eine Frau, die zu einer Zeit, also in einer Gesellschaft, aufwächst in der Frauen an einer Universität nicht zugelassen sind. Sie möchte aber gerne studieren. Nun könnte man zu dem Schluß gelangen, daß das "Schicksal" ihr diesen Weg des Studiums verwehrt. Man muß aber auch hier in Betracht ziehen, daß sie sich bereits **vor** der Geburt entschieden hatte als Frau zur Welt zu kommen und nur als Frau kann sie nämlich zu der gewählten Zeit die ganz bestimmten, ihrem Energiesystem entsprechenden durchaus eingeschränkten Erfahrungen machen, die sie eben gerne machen möchte.

Oftmals ist der Lebenszweck (also warum wir gerade jetzt in der gewählten Form) hier auf Erden sind, nicht unbedingt in jungen Jahren ersichtlich. Es könnte also sein, daß unsere Beispielfrau, entweder vor hat privat zu studieren, oder beispielsweise für sich und andere Frauen nach Wegen sucht die Universitäten für Frauen zugänglich zu machen usw.

Oder sie sieht sich möglicherweise in einer völlig anderen Aufgabe z.B. eben als nicht Studierte sozusagen völlig geniale Abhandlungen über Landschaftsarchitektur zu schreiben, und damit nicht nur die „Fachwelt" ins Staunen zu versetzen, sondern eben gerade weil dies was sie im Privatstudium erarbeitet hat, so nicht an den Universitäten zu dieser Zeit gelehrt wird, auch noch unbeeinflußt von universitären Lehrkräften und Lehren ihren eigenen revolutionären Weg zu gehen!! Der eigentliche Zweck dieses Wunsches nach einem Studium an einer Universität im Zusammenhang mit der damaligen Frauenrolle wird also möglicherweise erst am Ende des Lebens unserer Beispielfrau ersichtlich.

Wir sehen also, es sind zwar immer alle Möglichkeiten vorhanden, nur wählen wir selbst bereits vor unserer Geburt durch unser individuelles Energiemuster, die jeweiligen Bedingungen in denen wir leben werden. Das beinhaltet unter anderem die Wahl der Eltern, Geschwister und die Wahl der jeweiligen Gesellschaftsstruktur.

Wir verfügen also bereits vor unserer Geburt über ein bestimmtes Energiemuster und dieses zieht uns gefühlsmäßig in genau die Situation in die wir geboren werden, um eben bestimmte Erfahrungen (die wieder unserem Energiemuster entsprechen) machen zu können. Wir bestimmen also durch unsere Bewertungen, unsere generelle Lebenseinstellung und durch unsere vergangenen Handlungen in vergangenen Leben unser Energiemuster, damit auch unsere erneuten Lebensbedingungen sowie sämtliche Lebenserfahrungen, sowohl vor der Geburt als auch während des gesamten Lebens. Diese Erfahrungen, die wir im Laufe unseres Lebens machen sind uns nicht vorherbestimmt, aber sie ergeben sich mehr oder weniger zwangsläufig aus unserem zur Zeit bestehenden Energiefeld. Das heißt, durch unser Energiefeld ergeben sich bestimmte Wahrscheinlichkeiten für bestimmte Ereignisse in unserem Leben, bestimmte Krankheiten und auch für eine bestimmte Art zu sterben. Dies ist nicht sonderlich verwunderlich. Wir brauchen uns nur einmal etwas genauer umzusehen, um festzustellen, daß der Typ "Dachdecker" eine größere Wahrscheinlichkeit hat vielleicht vom Dach zu fallen als der Erfinder, dessen Wahrscheinlichkeit wiederum einen Stromschlag zu bekommen, höher ist.

Also, die Umstände in die wir hineingeboren werden, sind nicht für unser Leben verantwortlich zu machen. Die Verantwortung tragen alleine wir, also jeder für das was er individuell erlebt. Verantwortung heißt nicht Schuld. Im englischen Sprachgebrauch heißt Verantwortung *responsibility*. *Responsibility* setzt sich zusammen aus *response* und *ability*. *Response* heißt soviel wie Antwort und *ability* ist die Fähigkeit, also die Fähigkeit zu einer Antwort. Wir begegnen im Leben mannigfaltiger Fragen z.B.: "soll ich diesen oder jenen Partner wählen", oder "soll ich diesen oder jenen Beruf ergreifen" und diese Fragen des Lebens müssen in Form einer Entscheidung beantwortet werden. Keine Antwort gibt es nicht (es gibt nicht das NICHTS), es sei denn man hält sich aus allem heraus und wählt eben gar keinen Partner und hat gar keinen Beruf, aber lebenstechnisch wäre auch dies eine Antwort. Hier geht es also nicht um Schuld, sondern um eine bestimmte Wahl das Leben zu gestalten.

Bei der Partner-und Berufswahl ist es für uns noch einigermaßen einsehbar, daß wir diese Entscheidungen selbst getroffen haben. Generell führen uns bestimmte Entscheidungen natürlich zu bestimmten Erfahrungen. Angenehme, positive Erfahrungen schreiben wir gerne uns selbst zu, wie ist es jetzt aber mit den für uns unangenehmen oder gar **traumatischen Erfahrungen**?

Haben wir auch die traumatischen Erfahrungen letztendlich selbst gewählt?

Letztendlich ja, da wir vor der Erfahrung gar nicht wußten wie sich die Erfahrung anfühlen wird! Also letztlich haben wir eine Erfahrung gewählt um ein bestimmtes Gefühl kennenzulernen und um aus der Erfahrung eine bestimmte Erkenntnis zu gewinnen. Auch hier gilt wieder, daß wenn wir eine Erfahrung nicht kennen, auch schlecht Aussagen über Ursache und Wirkung machen können, also wohin wird uns die Erfahrung bringen, welche Folgen entstehen daraus? Wie fühlt sich eine bestimmte Erfahrung an?

Wir möchten die gesamte Bandbreite des Lebens kennen lernen und dazu gehören eben auch unangenehme Erfahrungen. Nur mit diesen Erfahrungen, können wir das Leben überhaupt mit all seinen Facetten verstehen. Man könnte auch sagen: "Das Leben erfährt sich selbst", oder: "Gott erfährt sich selbst", eben durch jeden von uns.

Entscheidend bei all den Erfahrungen, ist ja die Möglichkeit der Entwicklung! Ohne Erfahrungen kann niemand wachsen und sich entwickeln und dies ist die Quintessenz des Lebens selbst. Wie wir bereits gesehen haben stellen Erfahrungen ja immer Gefühle dar, da ich etwas eben nur gefühlsmäßig erfahren, wahrnehmen kann. Das bedeutet:

Gefühle sind die Quintessenz des Lebens!

Wir wählen also (bewußt oder unbewußt) Erfahrungen!

Diese „Wahl" ist nicht unbedingt das was wir uns sonst im Alltagsleben so unter einer Wahl vorstellen (will ich Käse oder Wurst auf's Brot?). Die Käse- oder Wurstfrage beantworte ich relativ bewußt und ich werde mich dann nicht groß darüber wundern, daß auf meinem Brot die gewählte Käsescheibe liegt. Erfahrungen wählen wir viel unbewußter als uns lieb ist. Beides, den Brotbelag und die Erfahrung, wählen wir gefühlsmäßig. Bevor wir wählen, werden wir bei beiden

Fragen in uns gehen und eine Zeitlang unser Gefühl fragen. Das ist letztendlich mit jeder Frage, die sich uns stellt und auf eine Antwort wartet, so. Auch die Frage nach einer Ausbildung, nach einem Partner usw. erfolgt gefühlsmäßig, wir machen es uns nur selten bewußt! Es geht der Wahl also eine gewisse Schwingung voraus. Diese Schwingung bewirkt eine Änderung im Außen.

Da Erfahrungen mit den einhergehenden Entwicklungsmöglichkeiten, letztendlich den Sinn des Lebens darstellen, wählen wir durchaus nicht nur für uns angenehme Erfahrungen.

Nun heißt das nicht, daß wir uns unnötigen Gefahren aussetzen müssen, um wachsen und uns entwickeln zu können. Das Universum gibt uns immer die Möglichkeit uns zu entwickeln und das auf sehr sanfte Weise. Nur wenn wir unsere Gefühle ignorieren, die angebotenen Lektionen nicht lernen, uns vor Entwicklungsschritten sträuben und die Wahrheit nicht erkennen wollen, dann werden die Lektionen aufdringlicher. Irgendwann fangen wir an zu leiden. Das Leiden ist letztlich auch wieder ein kontinuierlicher Prozeß. Ignorieren wir unsere Gefühle, dann leiden wir schon in dem Augenblick, wo wir nicht auf unsere innere Stimme, unsere Gefühle achten, also **vor** der eigentlichen Handlung. Wenn wir unsere Gefühle jederzeit bewußt wahrnehmen, dann brauchen die Lektionen auch nicht aufdringlicher zu werden. Es geht dabei immer um die Frage, inwieweit wir unserer inneren Stimme vertrauen und gewillt sind ihrem Rat zu folgen.

Bleibt also die Entwicklung, der Lerneffekt einer Erfahrung aus, befinden wir uns in einem Kreislauf, der immer wieder gelebt wird, um die Lektion letztlich doch noch zu lernen.

Das würde bedeuten, daß Ereignisse nicht zufällig geschehen, sondern, daß wir Ereignisse sozusagen energetisch anziehen, um möglicherweise bestimmte Erfahrungen machen zu können. Um dies verstehen zu können betrachten wir erneut die Wechselwirkung zwischen uns und der "Außenwelt". Bisher wissen wir, daß wir durch gespeicherte Erfahrungen und unsere Gedanken, ein bestimmtes Frequenzgemisch aufweisen. Dadurch werden wir auch von Menschen „erkannt", die ein ähnliches Frequenzgemisch aufweisen wie wir. Das heißt, wir werden unseren Partner diesbezüglich energetisch auswählen, und unser Partner wird auch seinerseits die Gemeinsamkeiten erkennen (man sagt ja so schön, daß unser potentieller Partner die gleiche „Chemie" aufweist, wie wir). Das heißt nicht unbedingt, daß wir gezwungen sind diesen Partner zu wählen. Es ist aber so, daß wir uns zu diesem bestimmten Partner energetisch hingezogen fühlen. Dieser Anziehung können wir uns nicht so ohne Weiteres erwehren. Wir erinnern uns, daß unsere Chakren mit unserem Zentralnervensystem verbunden sind. Die Energien, die wir im Außen wahrnehmen und die damit in Resonanz zu uns stehen lassen ein bestimmtes Programm ablaufen, dem wir uns nicht entziehen können, es sei denn wir löschen dieses Programm und/oder ersetzen es durch ein anderes. Wenn meine Lieblingsfarbe beispielsweise gelb ist und ich womöglich braun ablehne, dann werde ich einen unwiderstehlichen Drang einige Dinge in gelb zu kaufen spüren. Ich werde mich wahrscheinlich davor scheuen als Sofafarbe braun zu wählen.

Das gilt nicht nur für Objekte, sondern auch für "äußere" Ereignisse. Ob ich die Arbeitsstelle, den Wohnort usw. wähle, hängt schon von meinem jetzigen Frequenzgemisch ab, ich muß es aber nicht wählen, ich kann mich anders entscheiden. Dies muß ich mir aber bewußt machen. Es erfordert einen bestimmten Energieaufwand gegen vorherrschende Gefühle anzugehen.

Was ist nun mit Ereignissen, die „einfach so", also scheinbar zufällig geschehen. Z.B. steige ich in einen Zug ein, um von Hamburg nach Berlin zu fahren und auf dem Weg dorthin, hat der Zug in dem ich sitze einen Unfall. Vorher hat mich ja nun schließlich niemand gefragt, ob ich diese Erfahrung „gerne" machen möchte. Wie und wann konnte ich mich denn dann eigentlich entscheiden?

Interessant hierbei ist, daß sich in Flugzeugen oder Zügen, welche einen Unfall haben, statistisch gesehen, weniger Menschen befinden,

80

als in solchen die ohne besondere Vorkommnisse ihren Zielort erreichen. Menschen haben oftmals eine Ahnung von dem was sie erwartet und besteigen aus irgendeinem Grund (meistens unbewußt) ein
anderes Verkehrsmittel, oder fahren zu einem anderen Zeitpunkt. Nun
ist es auch so, daß man für solche Vorahnungen auch die entsprechenden Antennen haben muß. In unserer heutigen Welt schotten wir
uns eher ab, als Gefühle allzu intensiv wahrnehmen zu wollen. Wir
betäuben uns mit einer Geräuschkulisse, mit Medikamenten und mit
allerlei Aktivitäten und haben gelernt unsere Gefühle zu unterdrü-
cken. Dadurch verstehen wir die leisen Töne unserer inneren Stimme
auch nicht mehr, die uns vor solchen Dingen, zumindest mit einem
unguten Gefühl, warnen. Das soll jetzt nicht heißen, daß Unfälle und
dergleichen einfach geschehen. Es ist vielmehr so, daß die Wahrscheinlichkeit an diesem Tage, aufgrund der vielfältigen Verknüpfungen, also der vielfältigen Überlagerungen von Frequenzen (oder
gleichbedeutend Energien), eben besonders hoch ist. Katastrophen
geschehen immer, wenn viele Dinge, die in die Richtung der Katastrophe weisen, passieren können. Also an dem Tag wo der Zug, der
später einen Unfall hat, technisch kontrolliert wurde, hat der zustän-
dige Mechaniker sich gerade morgens mit seiner Frau gestritten.
Deswegen ist er irgendwie nicht so aufmerksam wie sonst und übersieht eine lose Schraube. Derjenige der für das korrekte Stellen der
Weichen zuständig ist, übersieht ein Signal, da er am Morgen beim
Augenarzt war und dieser ihm Augentropfen verschrieben hat, die er,
weil er das Jucken in den Augen nicht mehr aushielt, trotz Warnun-
gen auf dem Beipackzettel, während der Arbeit anwendete.....den
Rest des Szenarios können wir uns weiter in unserer Phantasie ausma-
len. Wir sehen also, daß immer viele Energien/Gefühle zusammen-
kommen müssen damit letztendlich ein entsprechend großes Ereignis
(für uns positiv oder negativ) geschieht. Das bedeutet auch, daß für
große Ereignisse entsprechend viel Energie zur Verfügung stehen
muß! Kleine Ereignisse lassen sich mit viel weniger Energieaufwand
betreiben. Jeder Einzelne mit seinem speziellen Energiegemisch trägt
also entscheidend zu einem Ereignis bei. Wir haben bei der Vielzahl
an unterschiedlichen Energien somit oftmals das Gefühl in einen

Strudel zu geraten und quasi zwangsläufig an dem Vorgehen des Ereignisses sozusagen ohnmächtig teilzuhaben. Das mag letztlich auch so sein, daß wenn wir in eine Massenschlägerei geraten von irgend woher eine Faust abbekommen. Aber warum begeben wir uns in eine solche Situation? Wenn wir aufmerksam auf unsere Gefühle achten, spüren wir was uns gut tut und was nicht. Geraten wir dennoch in "unschöne" Situationen, dann sollten wir in uns gehen und uns fragen warum wir genau dieses erleben wollen.

Zusammenfassung: Wir haben gesehen, daß wir durch unser individuelles Frequenzgemisch zu einem scheinbar im Außen stattfindenden Ereignis beitragen. Wir kreieren durch unsere Gefühle die Außenwelt. Solange wir unsere Gefühle und Gedanken nicht ändern ist uns ein bestimmtes Szenario in der Außenwelt vorherbestimmt. Es gibt für das was wir im Außen erleben bestimmte Wahrscheinlichkeiten, aufgrund unseres bestimmten Frequenzgemisches. Man könnte auch sagen, daß wir aufgrund unseres bestimmten Energiekonglomerates das erleben und wahrnehmen, was unser Leben so ausmacht.

Jetzt könnte man wiederum zu dem Schluß kommen, daß es so eine Art Schicksal gibt, und alles mehr oder weniger schon fest liegt also vorherbestimmt ist, und wir nur wie Marionetten agieren können. Das ist aber keineswegs der Fall. Wir können jederzeit (streng genommen haben wir ja nur die Gegenwart, also JETZT) unsere Charakteristik (unser Frequenzgemisch, unsere Chemie, unser Gefühl) ändern und damit unser Leben.

Wichtig dabei ist zu erkennen, daß das Gefühl welches wir JETZT haben die Dinge im scheinbaren Außen gestaltet. Wenn wir JETZT plötzlich verliebt wären, dann stellten sich die Dinge plötzlich völlig anders dar! Das Gefühl, welches wir JETZT haben ist eine Schwingung, die weit in den Weltraum hineinreicht und somit letztlich ein Gebet ist. Uns sollte bewußt sein, daß wir mit unserem Gefühl und mit unseren Gedanken (welche letztlich auch zu unserem Gefühl beitragen) erschaffen.

10. Wie können wir unsere Gefühle verändern?

Um unsere Gefühle und damit auch unsere Wahrnehmung zu ändern, um aus dem Kreislauf der immer wiederkehrenden Reaktionen, Handlungen und sich wiederholenden äußeren Ereignissen auszubrechen, müssen wir also die Bewertungen unserer in vielen Leben gemachten Erfahrungen revidieren. Wir müssen uns letztlich unserer gesamten Gefühle bewußt werden, eruieren wie die einzelnen Gefühle entstanden sind und diese gegebenenfalls transformieren, also in höhere Schwingungen umwandeln. Wir sollten uns bewußt machen, wie wir etwas wahrnehmen und wie uns diese Wahrnehmung in mehr oder weniger ähnliche Situationen bringt. Um das genauer verstehen zu können, schauen wir uns einmal die unterschiedlichen Wahrnehmungsebenen an.

Wir können die Welt in der wir leben auf vier unterschiedliche Arten oder von vier unterschiedlichen Ebenen aus wahrnehmen.

1) körperliche Ebene (Stammhirn)

Die körperliche Ebene ist die Ebene der **Identifikation**. Ich werde einen Gegenstand, den ich noch nie zuvor gesehen habe, zuerst mit meinen 5 Sinnen erfassen. Auf der körperlichen Ebene identifiziere ich einen Gegenstand. Die Erdbeere ist z.B. rot, schmeckt „fruchtig", fühlt sich außen etwas rau an und innen naß, riecht nach Erdbeere... alles was ich mit meinen 5 Sinnen erfassen kann ist erst einmal so wie es ist. Ich werde den Geruch der Erdbeere oder die Oberflächenbeschaffenheit nicht anzweifeln oder bewerten. Diese Identifikation der gegenständlichen Welt durch meine fünf Sinne ist Voraussetzung um die körperliche 3D-Welt auf der in Punkt 2) folgenden mentalen Ebene ordnen zu können.

Nun kann ich nicht nur die gegenständliche Welt mittels meiner fünf Sinne identifizieren und damit einordnen, sondern ich kann auch mich selbst mit bestimmten Merkmalen z.B. meinem Beruf, meiner körperlichen Erscheinung, bestimmten Rollen (Mutter, Vater, Chef, Opfer, Täter, Retter…) identifizieren. Ich kann mich letztlich auch mit bestimmten Zuständen z.B. Krankheiten identifizieren oder ich kann gegenständliche Dinge als Teil von mir wahrnehmen. Viele sehen beispielsweise **ihr** Auto, **ihr** Haus, **ihren** Mann, **ihre** Frau als Teil von sich selbst. Kein Wunder also, daß der Jammer groß ist, wenn das Auto einen Schaden auf weißt, oder der Partner sich anderweitig orientiert.

2) mentale Ebene (limbisches System)

Die mentale Ebene ist die Ebene der **Differentiation**. Auf dieser Ebene fange ich an, die Dinge zu unterscheiden, ihnen also einen Namen zu geben. Die Gefühle, die ich in der körperlichen Ebene mittels meiner 5 Sinne erfaßt habe, werden nun benannt und eingeordnet: „Das ist eine Erdbeere, die kann ich essen ", „Das ist ein Stuhl, auf diesem kann ich sitzen". Ich kategorisiere, analysiere und bilde mir eine eigene Meinung. Diese Meinung wird dann auch in nicht enden wollenden Diskussionen mit meinen Mitmenschen vertreten. Aufgrund von verschiedenen Meinungen und Wahrnehmungen werden durchaus erbitterte Kämpfe geführt. Je nachdem wie wichtig den vermeintlichen Meinungsgegnern ihre jeweilige Betrachtungsweise ist.

Auf der mentalen Ebene unterscheide ich die Dinge und versuche diese einzuordnen und, einen Schritt weiter, auch zu bewerten. Damit befinde ich mich dann in der Dualität. Die Dualität enthält ein gewisses Chaos, da ich die Dinge nicht mehr als IST-Zustand hinnehme, sondern sie einzeln und unabhängig voneinander wahrnehme. Um nun wieder eine vermeintliche Ordnung in das Chaos zu bringen, werden auf dieser Ebene Gesetzte erlassen, Zäune errichtet und für den eigenen Vorteil gekämpft.

Auf der mentalen Ebene grenzen wir aus. Wenn das Glas halbvoll ist und dies auch noch beschlossene Sache, dann werden alle die, die das

Glas als halbleer betrachten ausgegrenzt! So eine Ausgrenzung ist eine interessante Angelegenheit. Wenn ich beispielsweise anders Denkende ausgrenze, dann versuche ich natürlich möglichst auf der Seite zu stehen, wo sich die Mehrheit befindet, dieses ist dann nur kurzzeitig möglich. Die Meinungen der Menschen ändern sich ständig, da Meinungen von Natur aus eben dual und somit der Zeit unterworfen sind! Mit jeder Ausgrenzung, die ich vornehme, grenze ich im Grunde genommen also nicht die Anderen aus sondern mich selber von den Anderen!

Die mentale Ebene ist auch die Ebene der gegenseitigen nicht enden wollenden Schuldzuweisungen.

Wir sehen also, dies ist die Ebene des Egos. Das Ego will um nichts in der Welt von einmal vollzogenen Ansichten und Meinungen abrücken. Die Ebene des Egos ist dual, das heißt, ein Glas ist entweder halbleer oder halbvoll, aber keineswegs beides zugleich! An diesem einfachen Beispiel zeigt sich sehr schön, daß letztlich nur in der Dualität diskutiert werden kann. Die Wahrheit (das Glas ist **sowohl** halbleer, als auch halbvoll) braucht keine Begründung, und kann auch „schlecht" diskutiert werden, weil sie außerhalb der Dualität ist. Übrigens, um bei dem halbgefüllten Glas zu bleiben, wäre eine durchaus logische Möglichkeit das Glas als **weder noch** zu begreifen, also weder halbvoll, noch halbleer. Diese Möglichkeit würde dann aber bedeuten, daß das Glas entweder voll oder leer wäre. Was zumindest gleichzeitig nicht möglich ist.

Hier werden also die vielen unterschiedlichen ganz persönlichen Weltbilder geschaffen, die ganze Heerscharen in den Krieg ziehen läßt. Jeder glaubt ja, daß sein Weltbild das Richtige und einzig Wahre sei. Jeder hat hier aufgrund der unterschiedlichen Erfahrungen, die jeder individuell gemacht hat, seine absolute eigene Logik! Diese, ich nenne sie einmal „persönliche" Logik ist genau das, was wir unter Subjektivität verstehen. Wie wir noch sehen werden ist hingegen Objektivität, etwas völlig anderes.

3) seelische Ebene (Neocortex)

Die seelische Ebene ist die Ebene der **Integration**. Auf dieser Ebene erkenne ich, daß derjenige der eine andere Meinung als ich vertritt, im Grunde genommen auch Recht hat. Hier wird die Dualität der mentalen Ansichten von ein und derselben Sache wieder vereint. Ich erkenne, daß das Glas sowohl halbleer als auch halbvoll ist! Es sind eben zwei verschiedene Beschreibungen von ein und derselben Sache. Wo vorher Meinungskrieg war, entsteht Versöhnung.

Nicht nur Dinge (halbvolle Gläser) sondern auch Probleme oder Ereignisse lassen sich so vereinen. Wie schon in Kapitel 6 „Wechselwirkung unserer Gefühle mit der Wahrnehmung von Ereignissen und deren Bewertung" geschildert, ist ein Ereignis an sich weder gut (halbvolles Glas) noch schlecht (halbleeres Glas). Ich als Betrachter des Ereignisses kategorisiere das Ereignis durch meine Bewertung.

4) energetische Ebene (präfrontaler Cortex)

Die energetische Ebene ist die Ebene der **Transzendenz** und der **Intuition**. Auf dieser Ebene ist alles „nur" noch eine Frequenz oder eine Energie und damit letztlich durchsichtig, transzendent. Hier sind die Stille und der tiefe Frieden zu Hause. Diese Ebene ist jenseits der Worte.

Transzendenz läßt sich am Besten mit einem Verständnis aus einer übergeordneten Sichtweise beschreiben. Das Gefühl der übergeordneten Sichtweise kennen wir, wenn wir ein Problem haben und dann beispielsweise in den Urlaub fahren um erst einmal Abstand zu gewinnen. Aus einer übergeordneten Sichtweise heraus lassen sich Probleme leichter einordnen und damit verstehen und lösen. Wenn wir zu sehr mit dem Problem verwickelt sind und uns zu sehr damit identifizieren, findet sich der Ausweg nicht. Transzendenz ist das Gleiche wie diese übergeordnete Sichtweise, nur eben daß vollständige Transzendenz diese übergeordnete Sichtweise in wirklich allen

Bereichen des Lebens bedeutet. Man hätte dann ein völlig klares Gefühl, nichts gibt es mehr zu befürchten, da man auf alles was das Leben einem für Aufgaben, Herausforderungen stellt, eine Antwort wüßte (*Responsibility*→ die Fähigkeit zu antworten). Die Lebensenergie erfährt dann keinerlei Einschränkungen mehr und, wie wir bereits wissen, wäre das die Erleuchtung. So wie wir bei genauerem Hinsehen Menschen, die den gleichen Beruf oder vielleicht das gleiche Hobby gewählt haben, erkennen können, so ist ein transzendierter Mensch deutlich von einem zu unterscheiden, der sich noch mit Problemen verschiedenster Art beschäftigt. Ein transzendierter Mensch ist und wirkt hell sowie klar, ein mit Problemen belasteter Mensch wirkt dunkel und verwirrt also unklar. Genau aus diesem Grund beinhaltet das Wort Erleuchtung das Wort Licht. Die englische Bezeichnung für Licht ist "light", was sowohl "Licht" als auch "leicht" bedeutet. Ein Mensch, der erleuchtet ist, ist auch gleichzeitig leicht und beschwingt. Ungelöste Probleme bewirken eine Schwere. Im alten Ägypten sagte man sich, daß der ägyptische Gott Anubis (der Gott der Unterwelt und der Toten) die Seelen der Verstorbenen wiegt, und wenn die Seele leichter ist als eine Feder, so gelangt die Seele des Verstorbenen in das Himmelreich.

Auf der Ebene der Transzendenz erkenne ich, daß alles zeitlos ist.

Das Gefühl von Zeit entsteht letztlich dadurch, daß wir durch gespeicherte Erfahrungen oder deren Bewertung/Anhaftung einen Anker in der Vergangenheit haben. In der Zukunft haben wir auch einen Anker vielfach durch unsere Sorgen, aber auch durch unsere Erwartungen und Träume. Dies gibt uns den Eindruck die Zeit sei etwas Lineares, sie fängt in der Vergangenheit an und breitet sich pfeilförmig in die Zukunft aus. Man bemerkt, daß es einige Menschen gibt, die mehr in der Vergangenheit, in ihren Erinnerungen oder Vorstellungen von einer bestimmten Epoche leben und wiederum andere Menschen leben mehr in zukünftigen Erwartungen. Dies zeigt, daß die Zeit für jeden eine andere Form hat, also relativ ist (was Einstein natürlich auch schon vor einem Jahrhundert festgestellt hat). Das Zeitgefühl ist etwas Subjektives, man kann sich theoretisch darüber streiten bis der Arzt kommt ☺. Wenn aber die Zeit für jeden etwas anderes bedeutet, dann können wir die Zeit nicht durch unser Gefühl erfassen, sondern nur durch Meßinstrumente also Uhren. Die Zeit auf den Uhren ist also eher ein künstliches Konstrukt.

Wenn wir aber durch das Transzendieren unserer Erfahrungen aus der Vergangenheit und Erwartungen aus der Zukunft keine zeitlichen Anker mehr auf der Zeitachse haben, dann stellen wir fest, das wir zeitlos sind, daß wir einen zeitlosen Kern haben, der dann sichtbar geworden ist. Diese Erkenntnis bringt uns ins absolute Jetzt und damit (weil Raum und Zeit miteinander verbunden sind) in die unendliche „Raumerfahrung". Ein unendlicher Raum ist letztlich kein Raum mehr im eigentlichen Sinne, eine unendliche „Raumerfahrung" ist also die Unendlichkeit. Wir sind dann genauso groß wie das Universum, oder besser gesagt genau so groß wie alles was existiert. Dies verbindet uns auch mit Allem was existiert, mit der Essenz von allem was IST.

Natürlich ist unser Körper weiterhin der Zeit unterworfen. Unser Körper ist ja auch nicht so groß wie das gesamte Universum. Alles was Materie ist, ist der Zeit unterworfen und somit nicht die Essenz des Lebens. Die Essenz des Lebens oder besser gesagt das Leben an sich, liegt außerhalb der Zeit und ist immerwährend.

Weil die gesamte Materie der Zeit unterworfen ist, ist es aus energetischer Sicht auch lustig, daß wir den materiellen Dingen so viel Bedeutung beimessen.

Schauen wir uns die vier Wahrnehmungsebenen noch ein wenig genauer an.

Energie bewegt sich immer in zwei Richtungen, also profan ausgedrückt hin und her, von mir als Beobachter, hin zu einem Objekt nach „außen" und von diesem Objekt im „außen" wieder zurück zu mir und das Ganze im Grunde genommen gleichzeitig!! Deshalb ist das was ich im scheinbaren Außen wahrnehme auch immer mit mir in Wechselwirkung. Wie ich also meine Umwelt wahrnehme ist abhängig davon wie ich mit meiner Umwelt wechselwirke und umgekehrt, letztlich ist Wahrnehmung und Wechselwirkung das Gleiche! Im Grunde genommen manifestiert sich alles was ich erschaffe in den 4 Wahrnehmungsebenen: Körper, Geist (Verstand), Seele, Energie.

In der Physik finden wir die vier Wahrnehmungsebenen in den **vier Wechselwirkungen** der Natur (Gravitation, elektromagnetische Wechselwirkung, starke Wechselwirkung, schwache Wechselwirkung). Dieses Phänomen hat der Physiker Werner Heisenberg mit der Unschärferelation beschrieben. Die Unschärferelation lautet wie folgt:

Zwei komplementäre Eigenschaften eines Teilchens sind nicht gleichzeitig beliebig genau bestimmbar. Das bekannteste Beispiel für ein Paar solcher Eigenschaften sind Ort und Impuls (Impuls = Masse · Geschwindigkeit), aber auch Energie und Zeit stellen ein solches Paar dar. Die Heisenberg'sche Unschärferelation ergibt sich aus der quantenmechanischen Tatsache, daß Teilchen sowohl Materie als auch Welle sind.

Die vier Wahrnehmungsebenen stellen die **vier Elemente Erde, Wasser, Feuer, und Luft** dar, die uns beispielsweise im Ayurveda aber auch in der Traditionellen Chinesischen Medizin (TCM) begegnen. Sowohl im Ayurveda als auch in der Traditionellen Chinesischen Medizin geht es darum die vier Elemente bei Ungleichgewicht zum Ausgleich zu bringen oder ausgeglichen zu halten. Sind die vier Elemente nicht ausgeglichen, so äußert sich dies durch psychische und/oder körperliche Krankheit. Die vier Elemente begegnen uns unter anderem auch in der Astrologie, wo bestimmte Planetenkonstellationen am Tage der Geburt Ausdruck für bestimmte Elemente-Mischverhältnisse sind und somit wiederum auf einen bestimmten Charakter schließen lassen. Logisch ist diese Reihenfolge eigentlich nicht, wir haben natürlich vor unserer Geburt ein bestimmtes Elemente-Mischverhältniss und daraufhin werden wir dann unter einer bestimmten Planetenkonstellation geboren also an einem bestimmten Tag in einem bestimmten Jahr um genau die Erfahrungen zu machen, die wir so machen möchten. Wichtig hierbei ist anzumerken, daß, wollen wir Gesundheit, so müssen alle Elemente ausgeglichen sein. Im Falle der Erleuchtung sind natürlich alle vier Elemente absolut harmonisch zueinander und ausgeglichen.

Die vier unterschiedlichen Ebenen beschreiben, wie wir die Welt wahrnehmen können. Bereits C.G. Jung hat diese vier Ebenen beschrieben.

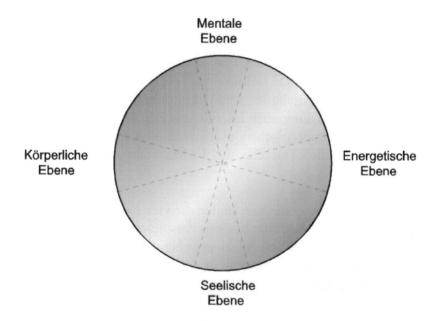

Abb. 7: Schematische Darstellung der vier Wahrnehmungsebenen
(nach C.G. Jung)

Jeweils zwei der Ebenen stehen sich gegenüber und sind somit komplementär zueinander. Das heißt, daß man einen Gegenstand oder ein

Ereignis nicht direkt gleichzeitig von der mentalen Ebene aus und von der seelischen Ebene aus betrachten kann. Dies ist nicht verwunderlich, wenn man sich überlegt, daß man etwas nur als Ganzes betrachten kann, oder die Einzelteile betrachtet. Natürlich kann man die Einzelteile als Teile eines Ganzen betrachten, aber dann ist man ja wieder auf der integrierenden, seelischen Ebene. Also wie gesagt, ich kann z.B. einen Gegenstand von unterschiedlichen Ebenen aus betrachten, aber eben nicht gleichzeitig, sondern nur nach und nach.

Des Weiteren stehen sich auch die körperliche und die energetische Ebene gegenüber, sind somit komplementär zueinander. Dies zeigt sich unter Anderem, wie schon erwähnt, in der Zeit. Der Körper ist der Zeit unterworfen die Energie (über den Energieerhaltungssatz) nicht. Ich bin entweder in der Zeit und körperlich demnach auf einen Ort beschränkt, oder ich bin außerhalb der Zeit also unendlich, körperlos.

Diese vier unterschiedlichen Wahrnehmungszustände sind unabdingbar für das Lösen von energetischen Blockaden und Problemen jeder Art.

Ich möchte diese vier Wahrnehmungsebenen noch anhand eines Beispiels beschreiben. Stellen wir uns vor:

Ich habe ein Problem mit meinem Partner. Immer, wenn ich nach Hause komme, stehe ich vor einem Berg ungewaschenem Geschirr, und einem Berg schmutziger Wäsche. Obwohl mein Partner und ich berufstätig sind, beteiligt mein Partner sich nicht am gemeinsamen Haushalt.

Dieses „Problem" kann ich von unterschiedlichen Wahrnehmungsebenen aus betrachten.

1) von der „körperlichen Ebene" aus betrachtet, ist das Abwasch-Problem ein rein faktisches. Das heißt: Fakt ist, wenn ich nach

Hause komme, dann stehe ich vor einem Berg Abwasch und einem Berg Wäsche.

2) Von der „mentalen Ebene" aus betrachtet, kommen hierzu noch meine Gefühle und Gedanken also meine Bewertung der Fakten, der körperlichen Ebene. Ich fühle mich beispielsweise ungerecht behandelt, weil ich **immer** den Abwasch erledigen muß, ich **niemals** dafür eine Belohnung erhalte, Frauen sowieso von Männern **grundsätzlich** unterdrückt werden...

3) Von der „seelischen Ebene" aus betrachtet, sehe ich anstelle eines Problems die Möglichkeiten und Chancen. Ich könnte die Gelegenheit verwenden um mit meinem Partner einmal (ohne Vorwürfe und Schuldzuweisungen) zu reden um über das Gespräch zu einer für beide Seiten besseren Beziehung zu gelangen. Ich könnte mich fragen, ob das nicht eine Gelegenheit wäre einen Geschirrspüler anzuschaffen. Ich könnte in der Betätigung des Abwaschens auch eine Gelegenheit zur Entspannung sehen.

4) Von der energetischen Ebene aus betrachtet gibt es überhaupt keinen Konflikt, sondern nur Gefühle, Frequenzen, Energien. Ich bewege mich hier nur in einem Rahmen von Gefühlen. Wenn ich gerne das Gefühl erleben möchte, wie das ist, meine Hände in das warme Wasser zu tauchen und das Geschirr abzuwaschen, so kann ich das tun. Möchte ich gerne ein anderes Gefühl wahrnehmen z.B. meinem Hobby nachzugehen und nicht abzuwaschen, so kann ich auch das tun (und eben meinen Partner abwaschen lassen). Ich sollte nur nicht die Intention haben, meinen Partner auflaufen zu lassen, es ihm heimzahlen zu wollen usw. Der Schuß geht in jedem Falle nach hinten los und ich werde mit diesen „Rachegedanken" im Kopf weder befriedigt abwaschen können noch meinem Hobby nachgehen können.

Es läßt sich also jedes Problem von verschiedenen Blickwinkeln (Ebenen) aus betrachten. Die energetische Ebene ist die Ebene der Transzendenz. Die Transzendenz und Ignoranz unterscheiden sich deutlich voneinander. Durch Ignoranz versuche ich etwas was mir unangenehm ist nicht zu sehen also auszublenden. Transzendenz hingegen schließt ein ohne in ein Drama zu verfallen. Ignoranz ist das Gefühl, welches aus einer ablehnenden Haltung heraus entsteht. Z.B. wenn ich als Teenager-Tochter einfach die Verbote meiner Eltern ignoriere und beispielsweise nach Hause komme wann es mir so paßt, dann werde ich wohl eher eine Verstärkung dieser Verbote erleben, als daß ich diese mit meiner Ignoranz auflöse. Transzendenz würde in einem solchen Falle bedeuten, daß ich die Verbote meiner Eltern sehr genau wahrnehme, auch weiß welchen Sinn diese vielleicht haben mögen (z.B. meine eigene Sicherheit). Dennoch könnte ich vielleicht durch ein Gespräch mit meinen Eltern einen Kompromiß bewirken und somit etwas später als ursprünglich vereinbart nach Hause kommen. Transzendenz bedeutet also eine vollständige Beleuchtung der jeweiligen Situation.

Übrigens liegt hier ein Mittel zur Manipulation und Machtausübung (s. Kapitel 16: „Die Welt in der wir leben"). Ich kann jemanden so konditionieren, daß dieser nur das sieht was ich ihm eingeredet habe, was es zu sehen gibt.

Transzendenz bedeutet also das Gleiche sehen, aber von einem anderen Blickwinkel, durch eine andere Ebene das Gesehene anders wahrzunehmen.

Wenn ich mich (siehe obiges Beispiel) von meinem Partner ausgenutzt fühle, so ist das meine persönliche Ansicht, meine persönliche Bewertung der Sachlage, die mit der Intention des Partners so gar nichts gemein haben muß. Letztendlich kann ich auch nur auf der energetischen Ebene (in der Stille, ohne Hintergedanken) die Schwingungen meines Partners wahrnehmen und dadurch erkennen, aus welchen Beweggründen er möglicherweise den Abwasch nicht erledigt hat. Das kann mannigfaltige Gründe haben.

In der Stille der energetischen Ebene bin ich auch in der Lage, bei hoch kommenden Gefühlen diesen Energiefaden zu verfolgen und habe damit die Möglichkeit zu erkennen, warum ich mich beispielsweise ungerecht behandelt fühle. Dies ist eine wunderbare Gelegenheit nicht immer wieder in die gleichen gefühlsmäßigen Fallen zu tappen und den Kreislauf der immer wieder kehrenden Handlungen zu durchbrechen.

Nehmen wir (unser Beispiel betrachtend) an, daß ich einen Abwaschberg immer als Gelegenheit nutze meinem Partner mal so „richtig" die Meinung zu sagen. Dabei streiten wir uns dann den halben Abend und schließlich knallen die Türen zu und jeder geht wutentbrannt schlafen um am nächsten Morgen wie gerädert zur Arbeit zu fahren (so habe ich übrigens erheblich mehr Energie verloren, als wenn ich den Abwasch einfach gemacht hätte!). Wenn ich jetzt das Abwasch-Problem von der energetischen Ebene aus betrachte, dann hat mich mein Partner gar nicht mit dem Abwasch kompromittiert! Es gibt möglicherweise negative Gefühle von meiner Seite aus (ich werde ausgenutzt). Wenn ich diese zurückverfolge und gefühlsmäßig schaue, wo diese Gefühle herkommen, also welchen Ursprung sie haben, dann habe ich das Gefühl des ausgenutzt Werdens aus meinem Energiesystem entfernt! Ich muß mich allerdings dem ursprünglichen Auslöser des Gefühls, der ursprünglichen seelischen Wunde stellen, was nicht immer seelisch schmerzfrei ist. Ich muß mich also möglicherweise der vergangenen Opferrolle nochmals stellen und die exakt gleichen Gefühle nochmals durchleben. Übrigens die alten Mythologien und Märchen beschreiben genau diesen Vorgang des Wiederauflebens der Gefühle. Hier werden siebenköpfige Drachen besiegt, die vorher mehr oder weniger friedlich in Höhlen schlummerten. Bei der Zurückverfolgung des Gefühls wird das Gefühl auch erst einmal wesentlich stärker, also unangenehmer (man weckt den siebenköpfigen Drachen auf), um dann langsam nachzulassen. Möglicherweise werden wir hier an alte Kindheitswunden oder an Traumata aus vergangenen Leben erinnert, die wir lieber vergessen oder verdrängen wollten. Für uns wäre es halt einfacher oder weniger schmerzhaft, wenn sich die Welt unserem Weltbild anpassen würde. Was wir ja auch immer wieder versuchen und wobei wir uns immer wieder energetisch aufreiben.

Wie wir schon gesehen haben ist vergessen energetisch nicht möglich. Der einzige Weg ist verarbeiten, transzendieren, also das Gefühl loslassen! Haben wir das Gefühl transzendiert, brauchen wir die Erfahrung nicht noch einmal zu machen. Ansonsten werden die Ereignisse denen wir begegnen uns immer auf die Gefühle, die wir nicht transzendiert haben ansprechen. Durch die Ereignisse werden also unsere „Knöpfe", welche uns auf 180 bringen, gedrückt und diese nicht transzendierten Gefühle schwingen an. Im Laufe der Zeit wird es uns auch immer leichter fallen, solche energetischen Blockaden zu lösen, wir werden hierbei immer sicherer. Im Übrigen können wir einmal gespeicherte Energien, nur dann loslassen, wenn wir diese Energien anerkennen und würdigen. Das heißt, in der Situation, zu dem Zeitpunkt, wo wir eine Energie gespeichert haben, haben wir sie auch gebraucht! Unabhängig davon, wie wir sie (oftmals zu unserer und anderer Leute Ungunsten) genutzt haben und unabhängig davon weshalb wir die jeweilige Energie gerufen haben (z.B. in einer bestimmten seelischen Notsituation) tragen wir diese Energie noch immer in uns, was wiederum bedeutet, daß wir damit noch immer anderen und uns schaden können! Wir müssen die Lehre dieser Energie in jedem Falle anerkennen, ansonsten haben wir noch stets eine Affinität zu ihr und können sie nicht loslassen.

Erkennen können wir nicht transzendierte Gefühle daran, daß wir noch Geschichten in uns tragen. Geschichten sind immer unerledigte Dinge, so etwas wie: „ In meiner Kindheit wurde ich einmal von einem Hund gebissen, seit dem mag ich keine Hunde mehr". Aber auch solche Geschichten, die scheinbar gar nichts mit uns zu tun haben: „Hast Du schon gehört? Der Nachbar soll seine Frau geschlagen haben!". Auch diese Geschichten zeigen wo wir noch Blockaden haben. Das muß auf die Nächst –Höhere- Ebene gebracht werden um aufgelöst werden zu können. Diese Geschichten sind Bestandteil des Egos.

Ego ist das Festhalten an diesen Geschichten: „Ich mag keine Hunde, Hunde beißen immer". Diese Hundegeschichte ist absolut subjektiv. Vielleicht identifiziert man sich in der „Nachbar-schlägt-seine-Frau-Geschichte mit der Frau und fühlt sich hier als Opfer. Ego ist immer diese ganz persönliche Sicht der Dinge. Ego existiert nur, so lange es Meinungen und Geschichten gibt.

Durch diese Vorgehensweise das Gefühl auf eine höhere Ebene zu bringen, bewegen wir das Gefühl, von unten (eines der unteren drei Chakren) nach oben (über unseren Kopf hinaus). Haben wir in unserem Beispiel das Gefühl des „ausgenutzt Werdens" einmal transzendiert, dann wird uns ein Abwaschberg bei der nächsten Gelegenheit nicht mehr aus dem Häuschen geraten lassen. Jetzt ist ein Abwaschberg nur noch ein Abwaschberg und nicht mehr ein Affront! Wir sind in der Lage mit dieser Betrachtungsweise völlig anders als vorher zu reagieren. Daraufhin wird auch unser Partner unter Umständen völlig anders reagieren und wir erschaffen diesbezüglich eine völlig neue Beziehung zu unserem Partner.

Wie können wir nun ganz konkret alte Erfahrungen heilen?

11. Energetische Reinigung

Wie wir bereits wissen entsteht ein Gefühl aufgrund einer bestimmten Bewertung (unbewußt/bewußt) einer Erfahrung. All diese Gefühle, die wir während einer bestimmten Erfahrung haben, werden multidimensional/holographisch in unserem Energiesystem gespeichert. Holographisch bedeutet, daß ein Stück der Erfahrung immer noch die gesamte Erfahrung beinhaltet, d.h. durch ein Stück der Erfahrung (beispielsweise ein Geruch, ein Geräusch) lebt die gesamte Erfahrung gefühlsmäßig wieder auf. Hierbei kann eine Erfahrung oder ein Gefühl durchaus mehrere Chakren ansprechen! Es kann also kein Stück der Erfahrung herausgezogen werden, sondern immer nur alles!! Das geschieht durch genaue Analyse des Gefühls! Die Urerfahrung kann herausgezogen werden, damit wird dann das Stück Weltbild welches wir auf einer dieser Urerfahrung aufgebaut haben, gelöscht. So gehen wir weiter vor und verändern damit mehr und mehr unser Weltbild hin zur Wahrheit.

Die Gefühlswelt besteht aus der Oberwelt, Mittelwelt und aus der Unterwelt. Die Oberwelt stellt die Zukunft, die Mittelwelt das JETZT und die Unterwelt die Vergangenheit dar. Man begibt sich gefühlsmäßig in die Unterwelt, indem man das Gefühl hat in die Erde hinabzusteigen. Früher hat man solcherart Reisen in die Unterwelt gemacht indem man sich körperlich in eine Erdhöhle begeben hat. In Ermangelung einer solchen Erdhöhle reicht es aber völlig aus, wenn Sie sich gefühlsmäßig hinab in das Erdreich gezogen fühlen beispielsweise indem Sie die Augen schließen und sich vorstellen an der Wurzel eines gigantischen Baumes, mit Hilfe eines Baches in den Sie sich legen hinab in das Erdreich getragen werden. An einer Lichtung innerhalb des Erdreiches angekommen, treffen Sie den Hüter der Unterwelt „Huasca". Fragen Sie diesen nach seinem Namen, fragen Sie ihn ob er der Hüter der Unterwelt sei. Bitten Sie Huasca um Einlaß in die Unterwelt und fragen Sie Huasca, was immer Ihr Anliegen ist. Huasca wird Sie in die Vergangenheit führen und Ihnen Teile aus Ihren früheren Leben zeigen, und Ihnen die Frage, die Sie gestellt haben beantworten.

Schamanisch wird der folgende Vorgang **Seelenrückholung** genannt. Im Folgenden beschreibe ich den Vorgang der Seelenrückholung energetisch.

Als erstes gehe ich also den energetischen Faden zurück zu der **ursprünglichen Wunde** oder zu dem ursprünglichen Trauma. Dies geht nur, wenn ich den Gedankenstrom über alltägliche Probleme und Sorgen zumindest etwas herunterfahren kann. Ich muß mich auf mein Gefühl konzentrieren können, dabei kann ich selbstverständlich nicht gleichzeitig fernsehen, mir die Zähne putzen oder mit den Kindern spielen! Ich suche mir also einen Ort, wo ich ungestört bin! Wenn ich

Angst vor den hochkommenden Gefühlen habe, dann bin ich blockiert und die Gefühle zeigen sich nicht, zumindest nicht vollständig! Wenn ich hingegen aus einer gewissen Unbedarftheit heraus den Gefühlen „Gehör" schenke, dann werden diese Gefühle auch dem Gehirn beispielsweise in Form von Bildern (die ich vor meinem geistigen Auge sehe) mitteilen, in welcher Situation sie entstanden sind. Es müssen grundsätzlich keine Bilder sein, es können auch Geräusche, Gerüche oder einfach Ideen oder Ahnungen sein (das gespeicherte Gefühl äußert sich also über die 5 Sinne). Das Ganze ist sehr subtil. Es ist nicht so wie im Kino, wo unter Aufgebot von viel Action und Dramatik dem Zuschauer gezeigt werden würde, wo die Gefühle herkommen. Die innere Stimme ist sanft, und wie ein Kind. Wenn man sie abwürgt und nicht ernst nimmt, verstummt sie vorerst. Dennoch ist die innere Stimme auch unnachgiebig, wenn es darum geht sich Gehör zu verschaffen. Wenn ich ein Kind immer wieder auf später vertröste, dann wird es so lange nicht ruhen, bis es bekommen hat was es wollte. So ist das auch mit der inneren Stimme! Also lassen sie sich Zeit und fühlen Sie genau hin!

Bei der Gelegenheit sollte vielleicht noch gesagt werden, daß es sich bei diesen subtilen Eindrücken, die wir bekommen, wenn wir in der Gefühlswelt unterwegs sind keinesfalls um **Phantasie** handelt. Zum Einen wird der Begriff Phantasie eigentlich für etwas Unerklärliches, aus dem Nichts entstandenes gebraucht. Die Bilder, Gerüche (generell die Eindrücke) der Gefühlswelt sind aber sehr wohl real. Ich möchte damit andeuten, daß es nichts gibt, was aus dem Nichts entstanden ist, letztlich gibt es das Nichts nicht! Alles ist aus irgendeinem Gefühl heraus entstanden, demnach gibt es auch nichts Unerklärliches. Man könnte sagen, daß es demnach so etwas wie Phantasie nicht gibt, aber ich möchte lieber sagen, der Gebrauch des Begriffes Phantasie als etwas Fiktives ist falsch. Die Phantasie ist vielmehr gleichbedeutend mit der Gefühlswelt und sollte sehr ernst genommen werden, da es die Basis des Wirkens und Erschaffens darstellt.

Andererseits kann man sich die Gefühlswelt so vorstellen, daß diese genauso wirklich vorhanden ist wie die gewohnte 3D-Welt, nur können wir die Gefühlswelt nicht mit einem unserer 3D-Sinne erfassen, wir können die Gefühlswelt eben nur über eine Beschreibung unseres Gefühls erfassen und dabei bedienen wir uns Bildern, Gerüchen und natürlich Worten. Wir übersetzen also die Gefühle in die 3D-Sprache. Nun kann in der Gefühlswelt beispielsweise ein Elefant vor mir stehen. Ich beschreibe aber das Gefühl falsch und sage es steht eine Kuh im Raum, dann wäre die Kuh quasi eine Ausgeburt meiner Phantasie und eben nicht die reale Beschreibung für die Gefühlswelt. Um diese Fehler eben gerade nicht zu machen, sollten wir uns in der Wahrheit üben. Wenn wir stets die Wahrheit sagen, dann bemerken wir sehr deutlich, wenn wir etwas Falsches also eine Lüge aussprechen und können demnach unseren Fehler korrigieren. Darüber hinaus ist es aber auch noch so, daß wir nicht nur Gefühle wahrnehmen und übersetzen können, sondern auch mit unserem Gefühl wiederum in der Lage sind zu erschaffen. Das heißt, das Gefühl und die Wahrnehmung bedingen einander.

Widmen wir uns nun wieder dem Vorgang der Seelenrückholung. Wenn die ursprüngliche Wunde uns also zeigt, in welcher Situation die Energie blockiert wurde, dann zeigt uns der **Seelenvertrag** unter welchen Umständen, die hinter der Blockade liegende Energie, zum Vorschein kommt. Das kann man sich so vorstellen.

Nehmen wir an, ich komme nach Hause und die Küche ist ein Chaos. Wenn ich jetzt wutentbrannt in das Wohnzimmer eile und mein Kind dafür beschuldige die Küche so hinterlassen zu haben und womöglich auch noch anschreie es solle doch gefälligst in sein Zimmer gehen, dann wird das Kind sich zuerst mit Worten verteidigen und versuchen die entstandene Situation zu erklären. Nun schenke ich dem Kind partout kein Gehör und stelle wenig später fest, daß mein Hund in der Küche auf der Suche nach etwas Essbarem die Verwüstung angerichtet hat. Wenn ich jetzt nicht zu meinem Kind gehe und mich ausgiebig für den Vorfall entschuldige, Besserung gelobe und irgendwie versuche das Ganze wieder gut zu machen (indem ich z.B. danach ausgiebig mit dem Kind spiele, mit dem Kind Eis essen gehe...), dann wird das Kind vorerst auch in seinem Zimmer verharren und nicht wieder herauskommen, bis eben die Entschuldigung von meiner Seite aus kommt. Das Kind weiß ja, daß es ungerecht behandelt wurde und schmiedet derweil in seinem Zimmer Pläne. So etwas wie: „ Wenn meine Mutter noch einmal will, daß ich mein Zimmer aufräume, dann weigere ich mich einfach", oder „ Wenn meine Mutter sich nicht bei mir entschuldigt, dann werde ich nie wieder aus meinem Zimmer herauskommen".

Das heißt, hier wird ein Seelenvertrag geschmiedet, der an gewisse Bedingungen geknüpft ist. Bei Auflösung dieses Vertrages (bei Erfüllung der Bedingungen) ist unser Beispiel-Kind wieder in seinem ursprünglichen gesunden Zustand. Ansonsten bleibt es blockiert und der Seelenvertrag läuft. Dieser ursprüngliche, seelisch gesunde Zustand des Kindes betrifft nicht das gesamte Kind, sondern „nur" einen Teil, je nachdem, welchen Vertrag das Kind aufgesetzt hat. Das könnte z.B. sein, daß das Kind, weil es sich ungerecht behandelt fühlte, sein Zimmer nicht mehr aufräumen möchte, weil das Kind eben auch merkt, daß der Mutter das z.B. sehr wichtig ist. Wie wir an diesem Beispiel auch gut sehen können, wird die Mutter zwischen dem Wutausbruch dem Kind gegenüber und dem zukünftigem Sträuben des Kindes sein Zimmer aufzuräumen, keinen Zusammenhang sehen. Um also solche Dinge zu lösen, sollte in dem Beispielfalle die Mutter, abends noch einmal in sich gehen und sich fragen, ob da nicht noch eine „offene Rechnung" vorliegt. Und so schnell wie möglich eingreifen und solche Dinge aus der Welt schaffen.

Es ist natürlich schwieriger Seelenverträge aufzulösen, die zeitlich sehr weit zurückliegen z.B. in vergangenen Leben entstanden sind. Bei der Lösung von energetischen Blockaden, können wir vorerst an die in der Zeit weiter zurückliegenden Begebenheiten nicht herankommen. Wir müssen hier also Schicht für Schicht abtragen.

100

Der Seelenvertrag hält also ein Seelenstück, welche eine gewisse Energie/Lebensessenz beinhaltet, fest. Diese Essenz steht dann auch in anderen zukünftigen Situationen, die mit der ursprünglichen Situation nichts zu tun haben, nicht zur Verfügung! Das heißt, unser Beispielkind wird auch Schwierigkeiten haben, sein Zimmer aufzuräumen (wenn es sich hierbei um den Seelenvertrag handelt), wenn die Oma sagt, es solle das doch ihr zuliebe mal tun. Auch in noch fernerer Zukunft wird, unser bereits erwachsen gewordenes, Beispiel-Kind unter Umständen nicht in der Lage sein, einen ordentlichen Haushalt zu führen. Ich sage jetzt nicht, daß so ein Wutanfall der Mutter genau so ein Verhalten des Kindes nach sich zieht! Das ist sehr individuell und nur über das Gefühl greifbar!!

Nehmen wir an, unser Beispiel-Kind ist wie gesagt schon erwachsen, weiß natürlich auch nichts mehr von dem Wutanfall seiner Mutter und welchen Seelenvertrag es (als Kind) damals aufgesetzt hat. Mittlerweile ist aus dem Kind ein Mann geworden, der bereits seit einigen Jahren mit einer Frau zusammen lebt, die sich immer darüber beschwert, daß er alles herumliegen läßt und nie aufräumt. Theoretisch könnte er auch in diesem Fall, die hinter der energetischen Blockade liegende Energie mobilisieren und plötzlich aufräumen. Sicherlich ist so etwas schon möglich, aber es kostet erheblich Energie, und unser erwachsen gewordenes Beispiel-Kind wird sich nicht wohlfühlen bei der Sache. Er wird die Aufgabe des Aufräumens also nur unzureichend oder unter Protest: "Warum soll ich eigentlich immer aufräumen? Alle wollen das immer von mir, wieso ist das überhaupt so wichtig?" erledigen können.

Um also die Blockade lösen zu können, muß derjenige in Liebe (ganz wichtig) dazu ermutigt werden das Gefühl, welches derjenige hat, wenn er aufräumen soll, zurückzugehen (zurück zu fühlen) und einmal alles was an Gefühlen so hochkommt zulassen und beschreiben. Hierbei ist es ganz wichtig die damalige Reaktion in der ursprünglichen Situation, anzuerkennen. Die Seele läßt sich nicht unter Druck setzen!

Dabei wird derjenige also erkennen, in welcher Situation die Blockade entstanden ist, welche Bedingung er aufgestellt hat und welche Essenz hinter der Blockade liegt. Des Weiteren kann er sich auch während des Hineinfühlens fragen, wie es sich denn anfühlt, wenn man aufräumt und gleichzeitig ein schönes befriedigendes Gefühl haben kann. Hierbei werden ihm die Frequenzen aus der Tierwelt weiterhelfen. Diese Frequenzen des Tierreiches sind natürlich die gleichen aus denen auch wir bestehen, nur die Tiere zeigen diese Frequenzen, oder energetischen Essenzen deutlicher. In unserem Beispiel könnte die Antwort auf die Frage nach der Essenz des befriedigenden beim Aufräumen entstehenden Gefühls unser Beispiel-Kind z.B. die Ameisenwelt zeigen. Hier in der Ameisenwelt werden hauptsächlich verschiedene Dinge hin-und hergeräumt (in erster Linie um das Ameisenvolk und die Ameisenkönigin zu ernähren). Ich persönlich kenne keine Ameise, die sich dabei je beschwert hätte. Diese Frequenz aus dem Tierreich wird in der schamanischen Kultur **Krafttier** genannt. Das Krafttier gibt einem die Kraft das Seelenstück, welches hinter der Blockade liegt anzunehmen, obwohl der Seelenvertrag in der ursprünglichen Situation nicht erfüllt wurde!

Dann erfährt derjenige der sich in die Gefühlswelt begibt auch noch, was er alles Tolles mit seinem Seelenstück machen kann. Dies wird in der schamanischen Kultur **Geschenk** genannt. Also in unserem Beispiel könnte unser Beispiel-Kind sehen, daß diese, ich nenne sie mal, „Ordnungsessenz" ihn auch dazu befähigt in der Arbeit einen Überblick über seine Projekte zu haben und er möglicherweise die Rechnungen pünktlich bezahlen kann, weil diese nun nicht mehr im Chaos untergehen.

Es ist hier auch noch erwähnenswert festzustellen, daß in unserem Beispiel das Ordnungsgefühl nur dadurch bei unserem Beispiel-Kind so negativ bewertet und abgespalten wurde, da das Ordnungsgefühl in einen negativ bewerteten Kontext (Wutanfall der Mutter) gebracht wurde. Sobald die ursprüngliche Situation, in der die Seelenabspaltung stattfand, betrachtet wird, kann das Ordnungsgefühl auch in einen positiven Kontext gebracht werden und somit wieder integriert werden.

Bei traumatischen Ereignissen ist diese Vorgehensweise der Seelen-rückholung schwieriger. Das liegt daran, daß derjenige, der das trau-matische Ereignis erlebt hat, zum Einen ungern daran erinnert wird, und zum Anderen auch Schwierigkeiten hat, das Erlebte gefühlsmä-ßig loszulassen. Wie oben bereits beschrieben, hat z.B. derjenige, der sich als Opfer eines traumatischen Ereignisses sieht, sozusagen noch eine Rechnung, mit demjenigen, den er als Täter in dem Erlebten identifiziert, zu begleichen. Wird dem Opfer aber klar, daß er sich letztendlich selber schadet, indem er an diesen Energien festhält, dann ist dieser meistens bereit, die für den weiteren Lebensweg uner-wünschten Energien loszulassen. Hierbei sind Rituale äußerst hilf-reich. Jeder weiß was ein Ritual ist. Energetisch gesehen ist es eine Handlung, welche die Seele anspricht. Wenn ich z.B. jemanden etwas angetan habe und ihm daraufhin, um die Tat wieder gut zu machen, wirklich ehrlich ein Geschenk mache, oder anderweitig irgend etwas Gutes tue, dann ist die begangene Tat (natürlich je nach Tat), wieder ausgeglichen. Die ursprünglich niedrigschwingende (tiefe Frequenz = Tat) wird durch irgend etwas hochschwingendes (hohe Frequenz = Geschenk) kompensiert. Das funktioniert letztendlich nur, wenn ich als Täter das wirklich ehrlich meine.

Bei Handlungen die sehr weit zurückliegen, das betroffene Opfer vielleicht schon tot ist, geht das nicht, funktioniert aber dennoch ähn-lich. Wir wissen, daß Tod letztlich nur körperlos meint. Das heißt, daß die betreffende Energie des Opfers natürlich noch vorhanden ist, nur kann ich denjenigen eben nicht mit meinen dreidimensionalen Augen sehen. Da wir energetisch alle miteinander verbunden sind, wird das vermeintliche Opfer auch im Falle einer Reinkarnierung etwas spüren, wenn ich als möglicher Täter vergangene Taten versu-che wieder gut zu machen. Das heißt, wenn ich (als Täter) mich bei dem Opfer über das allgemeine Energiesystem ehrlich entschuldige und eine Handlung vollziehe, die diese Entschuldigung zum Ausdruck bringt, dann wird die Energie (hochschwingende Frequenz) zum Opfer übertragen. Dadurch wird ermöglicht, daß Opfer und Täter frei sind.

Bei Ritualen bedient man sich immer den vier Naturkräften. Dies sind, wie schon erwähnt, Erde, Wasser, Feuer und Luft.

Beispiele für solche Rituale sind schwer zu geben, da das Ritual von der Tat und von den Beteiligten abhängt. Das wäre genauso, als wenn ich Ihnen sagen würde, was Sie am Besten Ihrer Großmutter zum Geburtstag schenken sollten. Zünden Sie z.B. Kerzen an, bleiben Sie in Gedanken beim Opfer, bitten Sie mit dem Kerzenlicht um Vergebung. Streuen Sie vielleicht zusätzlich noch Blütenblätter um die Kerze herum, pusten Sie vorher vielleicht noch schöne Gedanken in die Blütenblätter (indem Sie diese beim Formulieren der Gedanken in der rechten Hand halten und danach die Hand ein wenig öffnen und sachte hineinblasen). Visualisieren Sie etwas Schönes und senden Sie dieses als Vergebung z.B. über einen Fluß, oder über die Luft zum Opfer... Sie können auch etwas malen was Sie an die Geschichte mit all den damit zusammenhängenden Gefühlen erinnert (darauf zielt übrigens die Kunsttherapie ab). Seien Sie kreativ, lassen sie sich etwas einfallen! Und vor allem lauschen Sie Ihrem Gefühl! Mit der richtigen Intention sagt Ihnen Ihr Gefühl was Sie machen können.

Dies hört sich sehr einfach an, ist es aber nicht. Wenn ich z.B. mehr oder weniger aus Spaß zum Täter werde und andere schikaniere und auch erhoffe, daß ich per Ritual immer Vergebung erhalte, dann ist das ein Trugschluß! Wer einmal ehrlich! um Vergebung bat, der wird wissen wie gefühlsmäßig schwierig das sein kann. Und wenn es nicht ehrlich gemeint ist, dann wird es auch nicht ankommen und die so erzeugte „Vergebungsfrequenz" ist nicht dazu geeignet die Tat zu kompensieren.

Entscheidend bei Ritualen ist also die Intention und die Ehrlichkeit! Wenn zwei Menschen das Gleiche tun, aber aus unterschiedlichen Intentionen heraus, so ist das nicht das Gleiche!!!

Fühlen Sie sich, in einer Geschichte, als **Opfer**, dann gilt es dem vermeintlichen Täter zu verzeihen. Das erfordert je nach Tat natürlich Mut und ist auch bestimmt nicht leicht, aber es lohnt sich! Sie können dadurch ein freieres Leben führen, ohne daß diese Geschichte Ihnen noch weiter Ihre wertvolle Lebensenergie raubt und Sie am Ende womöglich noch krank macht. Ich denke, Sie werden den Gedanken nicht schön finden mit dem Täter eine energetische Verbindung zu haben, die dem Täter damit Macht über sie gibt! Lösen Sie die Fesseln und vergeben Sie!

Rituale, die uns als Opfer befreien, werden ebenso über die vier Naturkräfte vollzogen. Dies sind, wie schon erwähnt, Erde, Wasser, Feuer und Luft. Hierbei gilt es dem Täter ebenso ehrlich zu verzeihen. Dies hört sich vorerst schwerer an als es wirklich ist. Im Laufe der Jahrtausende hatten wir bereits fast unzählige Leben. In diesen vielen Leben wechselte die Opfer, Täter, Retter-Rolle oft. Haben wir ein Leben als Täter geführt, dann ist das darauf folgende Leben oft das eines Opfers oder Retters.

Der Retter versucht im „Außen" seine eigenen seelischen Wunden zu heilen. Möglicherweise hat er in einem früheren Leben sich in einer bestimmten Situation als Opfer gefühlt und versucht nun Opfern, die sich in einer ähnlichen Situation befinden, wie er in einem früheren Leben, zu helfen. Es kann aber auch genauso wahrscheinlich sein, daß der Retter durch seine vermeintlich rettende Rolle eine frühere Situation heilen möchte, in der er als Täter auftrat. Nun wirkt dies auf den ersten Blick kaltherzig sich nicht für ein Opfer einzusetzen, aber bedenken Sie bitte, daß a) wie wir bereits wissen der Retter seine seelischen Wunden nicht im Außen heilen kann, b) auch Opfer ihre ganz persönlichen Erfahrungen machen möchten und sich oft wenig retten lassen und c) jeder Eingriff in ein scheinbar äußeres Geschehen immer eine gewisse Unordnung bewirkt und damit für jede Menge Karma sorgt, welches Sie als potentieller Retter zu einem späteren Zeitpunkt wieder einholen wird.

Alle drei Rollen sind energetisch nicht stabil, deswegen wechselt die Rolle hin und her, bis wir erkennen, daß wir letztendlich immer alles waren und jede Rolle aufgeben müssen, um Frieden und Freiheit zu erhalten!

Haben wir also schon einmal gefühlsmäßig, durch solche schamanischen Reisen, erfahren, daß wir Täter waren, dann fällt es uns wesentlich leichter auch anderen Tätern, die uns möglicherweise Unrecht getan haben zu vergeben. Das nicht vergeben können, liegt letztendlich immer daran, daß wir uns nicht vorstellen können, daß wir eine ähnliche Tat (sicher unter anderen Umständen) möglicherweise auch begangen hätten.

Das bringt mich direkt zu dem Thema **Mitgefühl**. Erlebe ich also an mir selber, daß mein ganzes Wesen letztlich energetischer Natur ist und Energien, recht einfach losgelassen werden können, dann erwarte ich einerseits nicht mehr, daß sich mein Umfeld entsprechend ändert, sich also meinem persönlichem Weltbild anpaßt und zum Anderen habe ich dann auch Mitgefühl mit anderen Menschen. Also ich weiß dann, daß andere Menschen lediglich aus Unwissenheit (sie kennen die energetische Struktur des Lebens noch nicht) so reagieren und handeln wie sie das eben tun, auch durchaus zum Schaden wiederum anderer Menschen und zum Schaden für die eigene Person. Im Übrigen lasse ich mit dem Mitgefühl Andere auch ihre Erfahrungen machen. Ich erkenne, Erfahrungen und Entwicklungen jedes Menschen an. Dieses Mitgefühl ist letztendlich für Andere wieder Basis um leichter verzeihen oder generell loslassen zu können.

Energetisch gibt es nicht nur Seelenanteile, die wir abspalten können, und die dann den Vorgang der Seelenrückholung benötigen um wieder integriert werden zu können, sondern es gibt auch bewegliche, flüssige Energien, die nicht zu uns, also nicht in unser Energiesystem gehören. Dies sind sogenannte **Wesenheiten**. Wesenheiten sind Verstorbene, also Seelen, die gerade keinen Körper haben und die aus irgendeinem Grund bei uns Zuflucht suchen. Diese Gründe sind wieder absolut individuell und können somit auch nicht pauschalisiert werden. Wenn wir eine Wesenheit beherbergen, dann hat diese Wesenheit eine gewisse Beziehung zu uns und wir zu der Wesenheit. Das muß nicht zwangsläufig eine Verwandtschaft oder eine Bekanntschaft sein, diese Beziehung kann auch eine rein charakterliche sein. Wenn wir z.B. Mitleid mit älteren gebrechlichen Menschen verspüren, dann kann es sein, daß die Verstorbenen, die sich alt und gebrechlich fühlen und eben genau das menschliche Mitleid wünschen, bei uns Zuflucht suchen, obwohl wir diese zu Lebzeiten gar nicht kannten. Wesenheiten treten nicht nur in menschlicher Gestalt auf, dies können auch Tiere sein. Vielfach sind es die Tiere, die uns beispielsweise als Haustiere besonders nahe standen, die wir nach deren Ableben noch weiter mit uns herumtragen. Aber auch Tiere, die wir in einen unserer früheren Leben gefangen hatten, und die uns als Nahrung dienten, können Wesenheiten sein, dessen Energiefeld sich in unserem Energiefeld eingenistet hat.

Man bemerkt eine Wesenheit durch ihre flüssige Eigenschaft, sie können sich innerhalb unseres Körpers bzw. Energiefeldes bewegen. Wir haben beispielsweise ein saures, heißes Gefühl im Oberbauch, welches sich durch den ganzen Bauchraum bewegen kann. Wenn wir dieses spezielle Gefühl dann betrachten verschwindet es erst einmal um später gerne wieder aufzutauchen. Wesenheiten mögen in der Regel nicht gerne erkannt werden.

Ziel ist es die entsprechende Wesenheit ins Licht zu schicken. Hierbei bedient man sich der Vorstellung, daß über einem selbst ein intensives Licht, welches aus dem unendlichen kommend bis hinunter zu einem selbst reicht, ist. Dieses Licht ist strahlend weiß und prickelnd. Viele Wesenheiten fühlen sich von diesem Licht magisch angezogen und folgen diesem bis ins Unendliche, wo sie transformiert und danach auch wiedergeboren werden.

Bevor Wesenheiten gehen können, beschäftigt man sich am Besten mit ihnen. Wenn man sich mit ihnen beschäftigt, dann fühlt man auch was die Wesenheiten so zu sagen haben. Im Zuge der Beschäftigung mit der Wesenheit versucht man seine eigene Affinität zu der Wesenheit zu lösen. Dies setzt eine bestimmte Betrachtungsweise voraus.

Wenn es sich bei der Wesenheit beispielsweise um meine verstorbene Großmutter handelt, die mir als ich klein war so schöne Geschichten erzählt hat, dann muß ich mich nicht nur von meiner Großmutter, sondern auch von ihren Geschichten trennen.

Grundsätzlich gilt, daß wenn ich beispielweise Mitleid mit der Wesenheit habe, dann werde ich sie weiterhin schwerlich gehen lassen können. Wenn ich aber weiß, daß das Licht, in das ich die Wesenheit schicken werde, transformierend, reinigend ist, dann brauche ich auch kein Mitleid zu haben. Ein Verstorbener kann nur wiedergeboren werden, wenn er nach dem Ableben seines Körpers ins Licht geht. Wir Seelen können am meisten Erfahrungen sammeln, wenn wir ein eigenes Leben in einem eigenen Körper haben und nicht als "Anhängsel" einer anderen Seele. Somit ist so eine Rückführung in das Licht eine positive Angelegenheit. Manche Wesenheiten mögen partout nicht ins Licht und fühlen sich beispielsweise eher der Erde, dem Meer oder dem Feuer zugehörig. In so einem Falle senden Sie diese Wesenheit an einen schönen Ort der Erde, unter einen Stein (geschützt) ins Meer oder an einen heißen Ort (z.B. Vulkan, Sonne). Einige Wesenheiten haben bei Ihnen eine Aufgabe zu erfüllen und tragen dafür einige Gegenstände mit sich. Diese Gegenstände haben also einen gewissen Bezug zu Ihnen und hindern die Wesenheit daran in das Licht zu gehen. Schicken Sie die Wesenheit in das Licht und kümmern Sie sich separat um die mitgeführten Gegenstände. Hierbei vergraben Sie die metallenen Gegenstände und verbrennen Gegenstände die beispielsweise aus Holz sind. Manche Gegenstände sollten auch gesondert behandelt oder geehrt werden. Beispielsweise eine Truhe, die Geschichten enthält. Geben Sie die Geschichten ins Licht und verbrennen Sie die Truhe. Oder beispielsweise ein Ring der einmal als Ehering dienen sollte. Vergraben Sie diesen Ehering nicht einfach, sondern rufen Sie den damaligen potentiellen Ehepartner und zeigen Sie der Wesenheit somit, daß dieser existiert, daß man sich also durchaus in einem der nächsten Leben treffen und lieben kann. Vielleicht ist der potentielle Ehepartner selber im Licht, dann wird es der Wesenheit leicht fallen auch ins Licht zu gehen. Ist der potentielle Ehepartner gerade inkarniert, dann können energetisch Abkommen für ein späteres Leben geschlossen werden. Dieses sind nur Beispiele, verallgemeinern kann man diesen Vorgang nicht.

Wir haben eben schon gesehen, wie man mit Gegenständen, welche Wesenheiten mit sich führen, umgehen kann. Nun führt man oftmals auch selber Unmengen an energetischen Gegenständen mit sich herum. Es handelt sich bei diesen Gegenständen um unbewegliche, **kristalline Energien**. Diese Gegenstände hatten in einem der früheren Leben immer eine besondere Bedeutung für uns. Wir meinten, ohne diesen Gegenstand nicht leben zu können und deshalb nahmen wir sie energetisch mit durch die nachfolgenden Inkarnationen. Beispielsweise können dies jegliche Arten von Trophäen, also Orden, Pokale, Umhänge und dergleichen sein. Auch Utensilien, die man einst bei einer bestimmten Arbeit benötigte, also eine Tasche mit Samen zur Aussaat, oder ein Amboss zum Schmieden usw. Es können aber auch Gegenstände sein, unter denen man eine Arbeit verrichtete, die man nicht mochte. Beispielsweise Helme und Waffen für den Kriegseinsatz, Ferngläser zur Beobachtung und Bewachung von Türmen. Wenn man eine Arbeit über viele Jahre ausgeübt hat, dann brennt sich das Gefühl, welches diese Arbeit auf uns ausübte in unser Energiefeld ein. Beispielsweise kann sich das Gefühl einer Sense in unserem Arm einbrennen. Dies macht sich dann in diesem Leben möglicherweise dadurch bemerkbar, daß unser rechter Arm nicht so einsatzfähig ist, wie wir uns das wünschen.

Grundsätzlich werden alle Gegenstände wiederum mittels Imagination in die vier Elemente überführt. Das bedeutet, daß Gegenstände aus Holz eher verbrannt und Gegenstände aus nicht brennbaren Materialien eher der Erde zugeführt werden. Dies läßt sich wiederum, wie bei allen energetischen Prozessen nicht wirklich verallgemeinern, da beispielsweise ein Boot vielleicht gerne fahren möchte und somit eher dem Wasser als dem Feuer zugeordnet werden sollte. Es ist aber äußerst wichtig diese energetischen Dinge, die man im Laufe seiner vielen Leben angesammelt hat, dorthin zu überführen, wo diese hingehören. Durch diesen Prozeß überführt man seine eigenen Gefühle wieder zurück in die göttliche Ordnung und hinterläßt kein Chaos an anderer Stelle. Diese innere Ordnung strahlt man dann auch aus.

Bei all diesen Prozessen werden Sie nach Entfernung des energetischen Gegenstandes eine deutliche Verbesserung verspüren, was Sie dann wiederum motiviert weitere Gegenstände oder Wesenheiten aufzuspüren.

Zusätzlich zu den flüßigen Energien (Wesenheiten) und kristallinen Energien (Gegenstände) gibt es noch die Flüche. Ein **Fluch** ist eine Verwünschung, die ewig wirkt, wenn der Fluch ohne eine Zeitangabe über die Dauer des Fluches ausgesprochen wurde. Ein Fluch wirkt also unter Umständen über mehrere Leben und muß, um ihn unwirksam zu machen, von demjenigen der verflucht wurde gelöst werden. Ein Fluch wirkt also aus der Vergangenheit in die Gegenwart hinein.

Um einen Fluch zu lösen begibt man sich auf dem schon beschriebenen Wege nach unten in die Unterwelt in die Vergangenheit. Hier trifft man denjenigen der den Fluch ausgesprochen hat und einen Teil der Energie des Verfluchten in irgendeiner spezifischen Form gefangen hält. Diese Energie gilt es zu lösen. Sagen wir, Sie wollten schon immer einmal Ölbilder malen. Immer wenn Sie sich dafür genügend motiviert haben und loslegen wollen, kommt irgendetwas im „scheinbaren" Außen dazwischen. Mal ist es Ihr Hund, der unbedingt in dem Moment, wo Sie sämtliche Farben angerührt haben, Gassi gehen möchte; mal eine Freundin, die völlig aufgelöst bei Ihnen anruft und ein dringendes Problem mit Ihnen besprechen möchte... wir können uns noch mehr solcher für das Projekt ungünstiger Faktoren vorstellen. In diesem Beispiel scheint also etwas in der Vergangenheit liegendes, die Energie, die in diesem Falle Ihre künstlerische Begabung ist, festzuhalten, so daß Sie diese Begabung jetzt in der Gegenwart nicht leben können.

Um die Energie zu befreien, begeben Sie sich also in die Unterwelt in die Vergangenheit. Dazu halten Sie die Intention die Ursache für diese Ablenkungen, die Ihnen immer wenn Sie malen möchten begegnet, zu finden. Fragen Sie eines Ihrer Krafttiere, ob es Sie dabei begleiten möchte. Nun sehen Sie denjenigen, der den Fluch in der Vergangenheit ausgesprochen und über Sie verhängt hat. Sie sehen auch, in welcher Form Ihre Energie festgehalten wird. Sprechen Sie mit demjenigen, sagen Sie ihm oder ihr, daß Sie nicht mehr bereit sind zu akzeptieren, daß der oder diejenige Ihre Energie festhält. Vielleicht haben Sie eine Eingebung oder Sie fragen Huasca (den Hüter der Unterwelt) wie Sie denjenigen, der Sie verflucht hat vertreiben und Ihre dort festgehaltene Energie befreien können. Es ist nicht weiter schwierig, es ist nur so individuell, daß man auch hier wieder keine Standardlösung anbieten kann. Oft wird die Lösung im Gespräch mit demjenigen, der/die den Fluch verhängt hat klar.

Nach der Lösung eines solchen Fluches werden Sie sich deutlich stärker, teilweise auch erfrischter fühlen. In jedem Falle sollte aber die Ursache für die Ablenkungen und Störungen, die im Außen sichtbar waren, gelöst sein, so daß Sie sich diesbezüglich relativ ungestört Ihren Begabungen widmen können. Es könnten natürlich auch noch weiter Gründe für dieses Problem vorliegen. Ich sollte Sie an dieser Stelle vielleicht darauf hinweisen, daß ein Fluch, eine Wesenheit, ein gefundener kristalliner Gegenstand noch keine Erleuchtung bewirkt, es sind Hunderte!

Energetisch gibt es nun auch noch die **Anhaftung an bestimmte Orte,** die uns auch noch festhalten können. Sie kennen dieses Phänomen vielleicht aus dem Urlaub. Sie fahren an einen Ort von dem Sie meinen, Sie waren noch niemals dort gewesen und dennoch fühlen Sie sich auf eine fast magische Art mit diesem Ort verbunden. Die Erklärung hierfür liegt, wie sollte es anders sein, darin begründet, daß Sie in einem früheren Leben genau an diesem Ort schon einmal waren und hier eine Zeit Ihres damaligen Lebens verbracht haben. Natürlich kann es auch Orte geben, an denen Sie vielleicht mehrere Leben verbracht haben. Je nachdem was genau Sie an diesen speziellen Orten empfinden, beispielsweise Schrecken oder eine starke Verbindung, die Sie zu Tränen rührt, haben Sie an solchen Orten eben aus Ihrer Sicht Unangenehmes oder Angenehmes erlebt. In jedem Falle verbrauchen diese Verbindungen zu Orten Ihre Lebensenergie und sollten alleine schon aus diesem Grunde gelöst werden. Des Weiteren verhindert so eine Verbindung auch, daß Sie sich im Hier-und Jetzt an dem Ort wo Sie sich gerade aufhalten hundertprozentig wohlfühlen können.

Um diese Orte aufzuspüren, brauchen Sie diese natürlich nicht alle in 3D zu bereisen. Ein Hineinfühlen in die Thematik reicht aus, um zu fühlen zu welchen Orten man sich besonders hingezogen fühlt. Das Lösen der Verbindung erfolgt dann durch ein imaginäres Herausziehen der Gefühle aus dem eigenen Energiefeld. Es wird nicht versucht die energetische Verbindung zu durchtrennen! Also der energetische Teil der Verbindung, der in Ihnen ist wird herausgezogen und damit läuft der gesamte Energiefaden zurück zu diesem speziellen Ort. Das Herausziehen des in Ihnen befindlichen Teils der Verbindung erfolgt über Ihre Vorstellungskraft. Versuchen Sie erst einmal zu fühlen wo genau sich die Verankerung der Verbindung zu diesem Ort in Ihnen befindet. Beispielsweise befindet sich diese Verankerung in Ihrem Herzen. Jetzt stellen Sie sich vor, daß über Ihrem Herzchakra ein riesiger Kristall mit vielen glitzernden Facetten schwebt. Dieser Kristall ist zu Ihrem Körper hin spitz geformt. Nun drehen Sie diesen Kristall in Ihrer Vorstellungskraft über Ihrem Herzchakra gegen den Uhrzeigersinn. Dabei nimmt der Kristall diese in Ihnen befindliche Verankerung des speziellen Ortes in sich auf. Ist nun diese energetische Verankerung in dem Kristall vollständig enthalten, dann können Sie diesen Kristall einem Engel mitgeben, mit der Bitte diese in dem Kristall befindliche Energie im Licht zu transformieren. Bedanken Sie sich zum Abschluß bei diesem Engel für seine Hilfe!

Generell behindern alle diese energetischen Blockaden nicht nur den freien Energiefluß in unserem Körper und sorgen so für beispielsweise lästige Bauchschmerzen, Kopfschmerzen oder andere körperliche Gebrechen, diese energetischen Blockaden verhindern auch, daß wir uns überhaupt seelisch frei entfalten können. Wenn ich also durch die oben beschriebene Vorgehensweise der energetischen Reinigung, irgendwann einmal alle energetischen Blockaden gelöst habe, dann bin ich in der Lage meine Lebensaufgabe zu finden, und zu erfüllen.

Im Übrigen schließt die energetische Ebene die darunter liegenden Ebenen also die seelische, die mentale und die körperliche Ebene ein. Das bedeutet, strukturiere ich die energetische Ebene neu, indem ich einige oder alle Gefühle transzendiere, dann werden auch die seelische, die mentale und die körperliche Ebene neu strukturiert. Die energetische Ebene informiert also die darunter liegenden Ebenen. Das äußert sich dann soweit, daß ich bei energetischen Änderungen auch eine andere körperliche Chemie aufweise und durchaus andere gesündere Lebensmittel zu mir nehme, oder mehr Sport treibe und auch andere Menschen und Ereignisse in mein Leben ziehe. Aber auch so, wird durch die Auflösung der energetischen Blockaden „automatisch", also ohne weiteres Zutun, mein Stoffwechsel erheblich angekurbelt. Es werden mehr Hormone, oder besser gesagt, Hormone in einer anderen Zusammenstellung, produziert usw. Dies verändert unter anderem das Hautbild. Ich sehe jugendlicher, frischer, eben energetischer aus. Dies führt mich dann zu mehr und mehr Gesundheit, weil ich Transzendenz dadurch erlange, indem ich die energetischen Blockaden löse und damit erwecke ich die Kundalini-Energie, die Lebensenergie. Das heißt, mein Körper wird wieder mehr von der

Lebensenergie durchströmt, welche (wie der Name schon sagt) unabdingbar für das Leben selbst ist.

Etwas profaner aber auch alltagstauglicher ausgedrückt sind energetische Blockaden diese ständigen Ablenkungen, wodurch wir unsere innere Stimme nicht richtig wahrnehmen können! Das ist wie Reden mit einer anderen Person, wenn Sie im Gespräch durch die Frisur, die Nase usw. des Anderen abgelenkt sind, dann können Sie nicht richtig zuhören! Der Faden, die Verbindung reißt ab! Im gleichen Maße werden Sie durch Wesenheiten (beispielsweise durch Ihren verstorbenen Großvater) von Ihren eigentlichen Plänen und Zielen abgelenkt. Wesenheiten sprechen durchaus, dies können Sie als Stimmen in Ihrem Kopf wahrnehmen. Nur lassen sich die Stimmen im Kopf schwerlich auseinanderhalten. Sie haben bei allen Stimmen den Eindruck, daß dies Ihre eigenen Gedanken, also Sie selbst sind.

Weiterhin informiert uns JETZT auch die Zukunft z.B. in Form von zukünftigen Inkarnationen. Das ist innerhalb eines Lebens einfach zu verstehen. Sagen wir, ich möchte in einer Stunde joggen gehen, dann werde ich jetzt vielleicht kein heißes Bad nehmen. Oder, bei größeren Zeitabständen: Nehmen wir an, ich habe vor in einem Jahr ins Ausland zu ziehen, dann werde ich wahrscheinlich nicht jetzt eine teure Wohnung mieten, oder innerhalb der nächsten Monate eine neue Beziehung anfangen, ich werde mich also schon JETZT in irgendeiner Form auf das zukünftige Ereignis „Umzug und Leben im Ausland" vorbereiten. Das Gleiche gilt für inkarnationenübergreifende Ereignisse. Der Unterschied ist lediglich, daß dies unbewußt abläuft, aber dennoch Energien bindet und uns durchaus in diesem jetzigen Leben in eine bestimmte Richtung lenkt. Diese zukünftigen Inkarnationen kann man sich wie Wesenheiten vorstellen, nur ist es eben nicht der „Großvater", sondern das zukünftige Selbst, was zu einem spricht. Es sind gewisse Wesensmerkmale, die jetzt in Ihnen vorhanden sind und sich in irgendeiner Weise in der Zukunft ausdrücken möchten. Das Jetzt kann mit zukünftigen Inkarnationen in Disharmonie sein, wenn Sie z.B. vor haben im nächsten Leben vollständig erleuchtet zu sein, sich aber hierauf noch fünf verschiedene Wesensmerkmale von Ihnen melden, die ganz bestimmte Erfahrungen machen möchten. Beispielsweise ein Wesensmerkmal, welches unbedingt als Frau in einem typischen Männerberuf arbeiten möchte. Für solcherlei Erfahrungen benötigt man für gewöhnlich eine ganze Inkarnation. Unter Umständen kann aus jeder zusätzlichen Inkarnation auch immer wieder Karma entstehen, welches dann in weiteren Inkarnationen aufgearbeitet werden müßte. Hier gilt es also wieder sich solche Disharmonien gefühlsmäßig anzuschauen und zu lösen.

Zusammenfassung: Wir können also Fremdenergien in Form von flüßigen Energien (Wesenheiten) oder kristallinen Energien (energetische Gegenstände) in unserem Energiesystem haben. Des Weiteren können uns auch Energien fehlen, die einst zu uns gehörten und meist in einer traumatischen Situation abgespalten wurden, die wir also nicht mehr leben wollten. Diese fehlenden Energien können wir mit Hilfe der Seelenrückholung wieder integrieren.

Weiterhin können uns Verbindungen zu Orten oder auch zu Menschen, die uns nicht gut tun, Energie rauben.

Um eine Energie loszulassen, bewegen wir diese meist durch den Kopf hindurch außerhalb unseres Körpers. Dieser allgemeine energetische Ablauf funktioniert umgekehrt selbstverständlich auch mit Dingen, die ich mir wünsche. Wenn ich etwas erschaffen will, dann muß ich die Energien, die ich leben möchte von außen über meine Chakren aufnehmen können.

Wenn ich eine Erfahrung machen möchte, ob nun bewußt oder unbewußt, dann muß ich das entsprechende Gefühl dafür erst einmal aus dem Universum „herunterladen". Das heißt, wenn ich Auto fahren lernen will, dann werde ich mich eine Zeitlang mit den praktischen und theoretischen Aspekten des Autofahrens beschäftigen müssen. Hierbei versuche ich also ein Gefühl für das Autofahren zu bekommen. Erst wenn dieses Gefühl „in Fleisch und Blut" übergegangen ist, also bis auf die körperliche Ebene übertragen wurde, werde ich recht gut Auto fahren können. Eine bestimmte Fähigkeit kann ich also nur haben, wenn ich das entsprechende Gefühl erst einmal eine entsprechende Zeit über halte. Dann bin ich generell in der Lage etwas (was auch immer es sei) zu erschaffen. Ich kann mir hierfür aus dem unendlichen Potential des Universums alles herunterladen.

Der Vorgehensweise des Erschaffens widmen wir uns im nächsten Kapitel.

12.   Wie nehmen wir Einfluß auf unsere Wirklichkeit? Aktives Steuern von Ereignissen

In den letzten Kapiteln haben wir gesehen, wie wir unerwünschte Energien aus unserem Energiesystem entfernen können. Hierbei gehen wir gefühlsmäßig den Energiefaden entlang und gelangen letztendlich zu der ursprünglichen Situation, in der wir diese Energie benötigt haben, die nun aber noch immer in unserem Energiesystem ist. Diese Situation muß sich nicht in diesem Leben abgespielt haben. Mit dieser Vorgehensweise wird die unerwünschte (besser: die nicht mehr benötigte) Energie von dem betreffenden Chakra nach oben und schließlich durch den Kopf hindurch außerhalb des Körpers bewegt.

Nun ist es selbstverständlich auch möglich Energien, die wir uns wünschen in umgekehrter Richtung von oben durch den Kopf hindurch in den Körper fließen zu lassen. Dies wäre der Vorgang des Erschaffens, bei dem letztlich ein Wunsch ein Vorhaben von der energetischen Ebene herunter zur körperlichen Ebene transformiert wird. Diesen Ablauf vollziehen wir im Grunde genommen ständig, teilweise sogar mehrmals am Tag (zumindest unbewusst). Alles was Sie sich auf der körperlichen, in der 3D-Form wünschen, wird so aus der energetischen Ebene heraus in die körperliche Ebene transformiert.

116

Dieser Vorgang beschreibt die **Geburt**. Der umgekehrte Vorgang des **Todes** wäre demnach von der körperlichen, also der 3D- Ebene in die energetische Ebene. Das ist auch wirklich genau das, was bei Eintreten des Todes geschieht. Unser gesamtes Energiesystem mit all den gespeicherten Informationen zieht sich bei Eintreten des Todes in unser 8. Chakra zurück. Wie wir bereits wissen befindet sich unser 8. Chakra außerhalb unseres Körpers ca. 10 cm über unserem Kopf. Bei diesem energetischen Vorgang des Heraustretens aus dem Körper kommen wir also an unseren energetischen Blockaden vorbei und nehmen diese wahr. Dies ist dann die sogenannte **Rückschau**, die Menschen im Falle einer Wiederbelebung erzählen. Haben wir uns aus unserem Körper energetisch herausgelöst und befinden uns in unserem 8. Chakra, dann stellen wir quasi ein energetisches kugeliges Objekt dar, welches sich im Grunde genommen relativ frei im Raum bewegen kann. In diesem energetischen Zustand, als kugeliges energetisches Objekt, gehen wir entweder ins Licht und werden hier gereinigt, oder wir haften uns energetisch an andere noch Lebende also körperliche Wesen, meist Menschen (weil wir für gewöhnlich zu Menschen eine größere innigere Beziehung haben als beispielsweise zu Tieren) als Entität an. Diese Anhaftung als Entität wäre nur im beiderseitigem Einverständnis möglich.

Das 8. Chakra stellt den Sitz Gottes in uns dar. Wenn wir uns entscheiden ins Licht zu gehen, dann bewegen wir uns vom 8. Chakra zum 9. Chakra, der den Sitz Gottes darstellt. Wir alle teilen also das 9. Chakra miteinander, welches die Verbindung untereinander (das physikalische Entanglement) darstellt. Wenn wir in das Licht gehen und uns vorher im Leben energetisch gereinigt haben also keinerlei Blockaden mehr aufweisen, dann lösen wir uns hier auf. Das Auflösen bedeutet nicht, daß es uns nicht mehr gibt, sondern vielmehr, daß wir eben das Gleiche sind wie unsere Umgebung also wie Gott. Das fühlt sich dann so an wie ein Tropfen der in Wasser fällt, der Tropfen löst sich nicht auf, er geht in etwas Größeres über. Wenn wir ins Licht gehen und noch energetische Blockaden aufweisen, dann stellen wir mit unserem reisenden 8. Chakra etwas anderes dar als unsere Umgebung. Wir sind nicht das Gleiche wie Gott, als Vergleich also eher wie ein Tropfen Öl in Wasser (obwohl wir nicht wie Öl an der Oberfläche schwimmen würden). Wir werden hier im Licht in gewisser Weise gereinigt und transformiert. Diesen Vorgang der Reinigung im Licht kann man am Besten an Hand eines Beispiels verstehen: Nehmen wir an Sie haben schlechte Laune, weil Sie eines Morgens mit dem falschen Fuß aufgestanden sind. Sie gehen vielleicht ganz normal zur Arbeit und grummeln einen Ihrer Kollegen an. Dieser Kollege läßt sich jedoch nicht aus seiner Ruhe bringen und reagiert äußerst freundlich und entgegen kommend auf Ihre schlechte Laune. Kennen Sie solche Situationen? Wenn Ihnen in Ihrer schlechten Laune lauter Freundlichkeit und Hilfsbereitschaft entgegen kommt, dann können Sie Ihren Mißmut nicht lange aufrecht erhalten. Vielleicht fangen Sie an zu lächeln und Ihre schlechte Laune ist schnell wie weggeblasen. Sie empfinden Ihre unguten Gefühle einfach nicht mehr als angemessen. Genau dies ist die Art Reinigung, die jedem von uns nach unserem körperlichen Ableben im Licht widerfährt. Wir sind in diesem Moment umgeben von Licht und Liebe. Uns wird in diesem Moment schlagartig der eigentliche Sinn des Lebens bewußt, somit kommen uns einige unserer Gefühle unsinnig vor. Zusätzlich fühlen wir uns in diesem energetischen Zustand von der Last unserer körperlichen Gebrechen befreit, dies führt dann dazu, daß wir erkennen, daß wir uns in der nächsten Inkarnation durchaus einen gesunden voll funktionstüchtigen neuen Körper generieren können. Dennoch, oftmals bleiben selbst nach dieser Reinigung und Transformation noch Schatten unserer vergangenen körperlichen Gebrechen und Krankheiten zurück und können dann nur von uns bewußt **innerhalb** einer Inkarnation aufgelöst werden. Die seelischen Blockaden, also das Vorhandensein von Entitäten, kristallinen Energien sowie Verluste von Seelenstücken samt unserer gesamter energetischer Verbindungen zu Orten, Menschen usw. können bei der Reinigung im Licht nach unserem körperlichen Ableben nicht gereinigt werden. Dazu bedarf es unseres Bewußtseins! Und da die meisten Menschen nicht bewußt sterben, kann die Reinigung nach dem körperlichem Ableben doch nur recht oberflächlich erfolgen.

Nach dieser Exkursion über eine Spezialform des Erschaffens, die Geburt (energetisch aus dem allgemeinem Energiefeld Herunterladen) und eine Spezialform des Loslassens, der körperliche Tod (energetisch wieder in das allgemeine Bewußtseinsfeld abgeben), kommen wir zurück zu dem **Vorgang des bewußten Erschaffens** während einer Inkarnation.

Stellen wir uns z.B. vor, Sie interessieren sich für Gärtnerei, wollen so richtig ein Experte auf diesem Gebiet werden und einen wunderschönen Garten anlegen. Sie können also ein konkretes Ziel formulieren, mit einer konkreten Zeitangabe: „Ich möchte einen schönen Garten anlegen. Der Garten soll Blumenbeete, eine Rasenfläche für die Kinder zum spielen und einen Gartenteich mit Goldfischen enthalten. Ich werde im Frühjahr beginnen und werde im Herbst des gleichen Jahres fertig sein".

Nun ist allein das Interesse für die Gärtnerei schon eine Intention. Diese Intention stellt eine Energie mit einem bestimmten Wesensmerkmal dem Merkmal: „Interesse an der Gärtnerei" dar. Sie haben also bereits die „Gärtnerenergie" irgendwann einmal heruntergeladen (Sie haben diese Energie nicht von Ihren Eltern geerbt! Ihre Eltern haben möglicherweise auch Interesse an der Gärtnerei, daß wäre dann einer der Gründe warum Sie sich genau diese Eltern vor Ihrer Geburt ausgesucht haben und warum Sie sich zu Ihnen hingezogen fühlten). Nun möchten Sie diese „Gärtnerenergie" auch leben und dieser Energie Ausdruck in Form eines Gartens verleihen. Bevor Sie den Spaten in die Hand nehmen, werden Sie sich vor Ihrem geistigen Auge vorstellen, wie der Garten einmal aussehen soll. Vielleicht gehen Sie in den Garten (dahin wo jetzt noch Brachland ist) und visualisieren, welche Pflanzen wohin sollen. Möglicherweise soll der kleine Teich dort entstehen, wo jetzt noch ein Haufen Erde liegt. Ihrer Fantasie sind keine Grenzen gesetzt. Möglicherweise haben Sie noch nie einen Teich angelegt, dann werden Sie sich z.B. noch ein paar Bücher über das Thema „Gartenteich" kaufen und diese lesen. Daraufhin werden Sie losgehen und sich alles kaufen oder aus der Natur suchen was Sie für Ihren Garten benötigen. Blumenrabatten, Gartenutensilien, sowie Folie, Steine, vielleicht einige Wasserpflanzen und Fische für den Gartenteich.

Energetisch können wir diesen Vorgang wie folgt beschreiben:

1) **energetische Ebene**: Sie haben eine Intention, also eine Absicht, ein Ziel etwas zu tun (einen Garten mit Gartenteich anzulegen)
2) **seelische Ebene**: Sie visualisieren und fühlen sich in die Absicht hinein (Sie sehen den Garten mit vielen bunten Blumen vor sich, sie sehen die Kinder auf der Rasenfläche spielen, hören ihr lachen, genießen ihre Freude, sie hören wie das Wasser im Gartenteich plätschert und sehen die Fische im Gartenteich schwimmen...)
3) **mentale Ebene**: Sie beschäftigen sich theoretisch mit der Absicht (kaufen Bücher, fragen einen Fachmann/frau)
4) **körperliche Ebene**: Sie werden körperlich aktiv (kaufen die nötigen Utensilien, graben ein Loch für den Teich...)

Dies funktioniert nicht nur bei ganz praktischen Vorgängen die Sie verwirklichen möchten, sondern auch auf der Metaebene. Das heißt, Sie können auch visualisieren, wie Sie froh und glücklich sind, dies am Besten in Zusammenhang mit etwas was Sie auch froh und glücklich macht. Dies können Sie am Besten, wenn Sie in die Stille gehen. Sich also Zeit und Ruhe nehmen um eben das Gefühl von Frohsinn und Glück auch wirklich mit Haut und Haaren in allen erdenklichen Einzelheiten zu fühlen. Dieses Gefühl verbindet Sie dann mit Dingen, Menschen, Situationen die Sie froh und glücklich machen, Sie haben also eine andere Wahrnehmung, fühlen sich zu anderen Ereignissen hingezogen, als wenn Sie missmutig wären.

Nun wird diese Transformation nur gelingen, wenn Sie Ihrem Vorhaben keine negativen Gefühle entgegenbringen. Wie wir wissen gibt es keine negativen Gefühle, was es aber gibt, und was wir negativ nennen, ist ein fast schmerzhaftes Gefühl welches sich einstellen würde, wenn Sie an Ihr Vorhaben denken. Es wäre ein Gefühl, welches den Körper nicht so recht verlassen kann, weil es möglicherweise an irgendwelche unguten Erinnerungen gebunden ist und genau aus diesem Grund zumindest energetisch schmerzhaft wäre. Solange unser Vorhaben energetisch an irgendwelche Erinnerungen in unserem Körper gebunden ist, solange kann es auch nicht in die 3D-Form transformiert werden, weil dazu ein Austausch mit dem Universum nötig ist. Es muß ein Austausch mit dem Universum erfolgen, weil unser Vorhaben nur in Zusammenhang mit der Außenwelt entstehen kann, man könnte auch sagen, daß es in die Außenwelt geboren wird und dazu brauchen wir das Einverständnis der Außenwelt.

Also ganz konkret, wenn ich beispielsweise Männer aus irgendeinem Grunde ablehne (ich finde sie beispielsweise faul und dumm, weil mich Männer beispielsweise an meinen Großvater erinnern, der möglicherweise so war...), dann wird mir das sicherlich schwer fallen (oder zumindest nicht ehrlich sein), wenn ich mir auf der anderen Seite versuche in allen Farben eine harmonische Beziehung mit einem Mann vorzustellen. Als erstes gilt es also diese negativen Beurteilungen zu beleuchten (also warum denke ich so) und aufzugeben/loszulassen. Damit schaffe ich Platz für das Positive.

Wenn Ihr Denken und Ihr Fühlen im Einklang steht, dann bildet Ihr Denken und Fühlen eine stehende Welle. Eine stehende Welle (sieht übrigens aus wie eine liegende Acht (Lemniskate), ein Symbol für die Unendlichkeit) hat eine unendlich lange Reichweite. Diese stehende Welle hat die Fähigkeit Energie auszutauschen und damit zu Erschaffen. Wenn Sie durch Ihr Denken und Fühlen eine stehende Welle erzeugt haben, dann fühlen Sie sich mit dem gesamten Universum verbunden, Sie sind das gesamte Universum. Das ist einerseits natürlich der Grund, warum Ihre stehende Welle so weitreichend ist und zum anderen ist diese Verbundenheit (wie wir bereits in vorhergehenden Kapiteln beleuchtet haben) die bedingungslose Liebe.

Dieses Erzeugen einer stehenden Welle durch die harmonische Verbindung des Denkens und Fühlens schauen wir uns noch ein wenig genauer an. Hierzu werfen wir einmal einen Blick auf die Menora:

Wikipedia: Die **Menora** (mənoːˈɾaː, auch: Menorah, hebr: מנורה, Plural *Menorot*, hebr: נורות; hebräische Bezeichnung für Leuchter, Lampe) ist ein siebenarmiger Leuchter, eines der wichtigsten religiösen Symbole des Judentums und wurde bei der Staatsgründung Israels in das Staatswappen aufgenommen. Die Menora hat ihre Ursprünge vermutlich in Babylonien und soll die Erleuchtung symbolisieren.

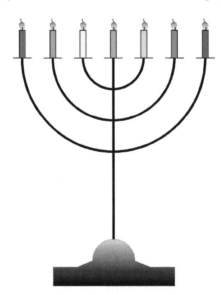

Abb. 8: Symbolische Darstellung der sieben Chakren und ihrer Verbindungen

Die Menora symbolisiert die 7 Chakren und deren Verbindungen. Die Verbindungen der Chakren sind hierbei nicht ganz richtig dargestellt (es handelt sich ja auch nur um ein Symbol). In der nachfolgenden Abbildung (Abb. 9) ist die energetische Chakrenverbindung dargestellt, wie sie wirklich existiert.

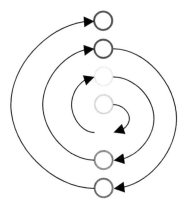

Abb. 9: Graphische Darstellung der sieben Chakren und ihrer Verbindungen

Fakt ist, die unteren drei Chakren stehen für das Fühlen, die oberen drei Chakren stehen für das Denken und in der Mitte befindet sich das Herzchakra (grün), welches alle Chakren miteinander vereint. Wenn, wie gesagt, Denken und Fühlen im Einklang sind, dann emittiert das Herzchakra eine stehende Welle. Dies kommt, wie im Kapitel 2.1 „Wie wird die Energie durch das Energiesystem bewegt?" schon erwähnt, dadurch zustande, daß die unteren Chakrenfarben des Fühlens komplementär zu den oberen Chakrenfarben des Denkens stehen. Und wie schon aus der Kunst bekannt, scheinen Komplementärfarben zu schwingen.

Betrachten wir nochmals unser Beispiel, daß ich mir eine harmonische Beziehung zu einem Mann wünsche. Wenn ich hierbei „nur" denke ich hätte gerne eine harmonische Beziehung zu einem Mann, und ich fühle (aufgrund der Bewertung, die ich in der Vergangenheit vollzog und die immer noch aktiv ist) Männer sind faul und dumm, dann emittiert mein Herzchakra keine stehende Welle sondern irgendeine Welle, die keinesfalls mit dem Universum in Verbindung steht. Das Universum erhält nur eine bruchstückhafte, ungenaue Information und wird gegebenenfalls auf die Gefühle (nicht aber auf das Denken) desjenigen, der die Welle emittiert ansprechen, da dies für das Universum eindeutiger ist (die Gefühle sind ja die Quintessenz des Lebens). Bei künftigen Männerbeziehungen werde ich also mit Männern konfrontiert, die ich wiederum als faul und dumm einschätze (letztendlich würde ich alle Männer, die mir begegnen so einschätzen, die anderen aktiven, schlauen Männer würde ich als solche nicht richtig wahrnehmen können). Somit hängt meine Wahrnehmung direkt mit meinem Denken und Fühlen zusammen. Es gilt auch der Umkehrschluß, alles was ich wahrnehme und als unangenehm empfinde, kann ich gefühlsmäßig in mir lösen, so daß ich ein erfüllteres, glücklicheres Leben kreiere. In dem was ich sehe, was ich wahrnehme liegt letztendlich auch wieder eine Chance mein Denken an mein Fühlen anzugleichen. Ich sollte also vorerst mein jetziges Gefühl transzendieren und schauen worin die Ursache für meine Einschätzung der Wahrnehmung liegt.

Um also etwas zu erschaffen müssen Gefühl und Denken übereinstimmen. Mein Wunsch sollte aus dem Gefühl der Liebe entstehen. Das bedeutet, wenn ich mir ein größeres Auto wünsche, um damit meinem Nachbarn imponieren zu können, dann ist das sicherlich kein Wunsch, der aus Liebe entstanden ist. Ich kann mir ein größeres Auto wünschen, damit meine ganze Familie komfortabler größere Distanzen zurücklegen kann und zusätzlich hinten auch noch der große Hund Platz hat. Ein von Liebe getragener Wunsch ist kein Wunsch, der anderen in irgendeiner Weise schadet. Diese Liebe zu meinem konkreten Vorhaben ist also direkt mit der Freude von mir und meinen Mitmenschen gekoppelt.

Wenn ich also möchte, daß mein Wunsch in Erfüllung geht, sollte ich Freude und Dankbarkeit bei der Vorstellung des Erfüllens des Wunsches empfinden. Für das Universum existiert nur das JETZT. Ich empfinde also JETZT, Freude und Dankbarkeit dafür das der Wunsch den ich habe bereits erfüllt ist. Wenn ich reich sein will, dann sollte ich mich JETZT reich fühlen. Woran kann ich meinen Reichtum

JETZT erkennen? Ich sehe vielleicht, daß ich mir alles zu essen kaufen kann was ich möchte. Ich sehe vielleicht, daß mein Kühlschrank üppig gefüllt ist. Dies ist Überfluß, Reichtum. Es gibt also JETZT Tatsachen, die zeigen, daß ich JETZT reich bin. Das ist vielleicht nicht der Reichtum, den ich mir so vorstelle. Ich möchte eben schon ein großes Haus mit Pool und die Millionen auf dem Bankkonto. Dennoch fange ich an, den vielleicht etwas kleineren Reichtum in meinem jetzigen Leben zu sehen, und diesen zu informieren, denn alles was ich sehe, informiere ich alleine dadurch, daß ich es wahrnehme. Durch das Wahrnehmen meines jetzigen Reichtums sende ich eine Schwingung aus. Diese Schwingung kann, wenn sie eine stehende Welle darstellt und bei genügend starker Intention, den hintersten Zipfel des Universums erreichen. Wenn mir das gelungen ist, dann wird sich mein Wunsch auch erfüllen. Letztlich ist dann mein Wunsch schon erfüllt, mein Wunsch muß eben noch in die 3 D-Form transformiert werden. Mein Wunsch ist also noch nicht in Erscheinung getreten. Die körperliche Form verfügt eben über eine gewisse Trägheit, deswegen braucht die körperliche Erscheinungsform Zeit, sie existiert ja auch nur in der Zeit. Mit der Aussendung meines Wunsches ist aber im göttlichen, energetischen Bereich mein Wunsch bereits in Erfüllung gegangen.

Um aus meinem Wunsch eine stehende Welle zu erzeugen, die den hintersten Bereich des Universums erreicht, muß mein Denken und mein Fühlen in Übereinstimmung gebracht werden. Das tue ich, indem ich meinen Wunsch z.B. nach Reichtum genau beleuchte. Warum möchte ich mehr Reichtum? Um von anderen Ernst genommen zu werden? Wir wissen bereits, daß ich mit dem Reichtum nicht das Gefühl erhalte von anderen Ernst genommen zu werden! Ich möchte vielleicht mehr Reichtum, um das Leben führen zu können, was ich gerne führen möchte? Letztlich sollte ich die Blockaden, die mir im Wege stehen um das Leben zu führen, welches ich gerne führen möchte, unabhängig von Reichtum in Form von einem dicken Bankkonto führen können. In Kurzform: Gehen Sie alles durch, was Ihrem Wunsch im Wege steht. Entfernen Sie alle Blockaden und leben Sie das Leben, welches Sie leben möchten und erfüllen Sie dieses mit Freude! Vielleicht haben Sie eine tief empfundene Abneigung gegen Millionen auf Ihrem Bankkonto. Dies wäre natürlich genauso eine energetische Blockade, die Ihrem Wunsch nach den Millionen auf Ihrem Bankkonto im Wege stünde. Sie verbinden vielleicht Geld mit einem miesen, geizigen Charakter. Dies sollten Sie, in einem solchen Falle, selbstverständlich auch beleuchten und gegebenenfalls ausräumen.

Um dem Wunsch nach beispielsweise größerem Reichtum eine Stärke zu verleihen, sollten Sie möglichst oft in diesen Wunsch hineinfühlen und sich zusätzlich ein Meßergebnis an dem Ihr Reichtum sichtbar ist, verschaffen. Sie könnten z.B. eine Kopie Ihres Bankauszuges durch ein paar zusätzliche Stellen vor dem Komma erweitern. Sie sehen dann Ihre Millionen auf dem Bankkonto und fühlen sich glücklich, Sie freuen sich über das viele Geld. Diese Freude gibt Ihrem Wunsch des Reichtums einen Impuls. Ihre stehende Welle, die Sie durch Ihr Gefühl und Ihr Denken erschaffen, erfährt durch Ihre Freude eine Kraft, die Ihre Welle auch braucht, sonst würde sie sich nicht genügend weit ausbreiten können.

Zur erfolgreichen Erfüllung Ihres Wunsches gehört zusätzlich noch das Erkennen des Ist-Zustandes. Dazu gehört eine bedingungslose Ehrlichkeit zu sich selbst. Ein Beispiel dafür, wie man es nicht machen sollte, wäre z.B. Ich bin übergewichtig, stehe vor dem Spiegel und bilde mir ein ich sei schlank. Ich kann mir zwar einbilden ich sei schlank, mein Zustand der Übergewichtigkeit würde sich durch meine Einbildung des Schlankseins aber nicht ändern! Ganz im Gegenteil, ich würde wohl im Zustand der Übergewichtigkeit verharren, da ich ja keinen Grund für eine Änderung meiner Lebensumstände sehe. Um meinen Zustand zu ändern gilt also wieder:

1) das Erkennen des IST-Zustandes („ich bin dick")
2) das Formulieren des konkreten Zieles: „ich werde in 6 Monaten X-Kilogramm abgenommen haben"

126

3) das mentale Auseinandersetzten mit dem Erreichen des Zieles: „ich esse weniger, ich treibe Sport" (Formulierung im JETZT)
4) das gefühlsmäßige Auseinandersetzen mit meinem Ziel. Wie fühlt es sich an, wenn ich schlank, agil, fit bin?
5) das Betrachten der energetischen Blockaden („buttons"), die mir im Wege stehen, mein Ziel zu erreichen: „ich esse immer soviel, damit ich mich geliebt fühle"
6) das Wahrnehmen der Veränderung: „heute fühle ich mich agiler und fitter als gestern und habe bereits X-Kilogramm abgenommen"

Nun können wir uns den gesamten Vorgang des Erschaffens noch unter einem anderen, mehr theoretischen Gesichtspunkt anschauen. Möchte ich erschaffen, dann muß die Welle, die ich emittiere eine stehende Welle sein. Ich muß mich also mit dem Universum verbunden fühlen. Man könnte gleichbedeutend dazu auch sagen, daß die Welle, die ich aussende die gleiche Frequenz (das heißt Resonanzfrequenz) haben muß, wie das Universum, oder der Spirit. Das heißt, alle meine Gefühle sollten mit meinem Denken übereinstimmen. Das ist dann der Fall, wenn alle meine Gefühle bewußt sind, also wenn ich z.B. Faulheit nicht mehr ablehne, sondern weiß warum ich Faulheit ablehne. Wenn ich weiß wo der Ursprung dafür ist, daß ich Faulheit ablehne, dann lehne ich Faulheit auch nicht mehr ab. Wenn ich das mit allen Gefühlen tue, die ich gewissen Charaktereigenschaften anderer Menschen und auch mir entgegenbringe, dann lehne ich auch an anderen Menschen und auch an mir nichts mehr ab, und das heißt (je nach Intensität), daß ich andere Menschen bedingungslos liebe. Das bedeutet, ich bin erst dann in der Lage mit dem Universum in Resonanz zu treten, wenn ich bedingungslos lieben kann. Dies geht nur, wenn ich alle Gefühle transzendiert habe. Dann bin ich also in der Lage mit dem Universum, oder mit dem Spirit, oder mit Gott (es gibt für die allumfassende, schöpferische Energie unglaublich viele Bezeichnungen), Energie auszutauschen. Vorher werde ich das nur bedingt, auf einige Bereiche bezogen, zustande bringen. Daß ich nur auf einige Bereiche bezogen also **bedingt** Energie mit dem Universum austauschen kann, bedeutet ja, daß ich nicht bedingungslos lieben kann. Meine Liebe wäre eben nur auf bestimmte Bereiche oder Aspekte des Lebens beschränkt! In den Bereichen, die durch meine Blockaden einen energetischen Austausch mit dem Universum verhindern, kann ich also nicht erschaffen! Das ist auch gut so, denn solange ich nicht bedingungslos lieben kann, würde ich nicht erschaffen, sondern eher zerstören.

Wenn ich also nicht in Resonanz mit dem Universum bin, dann würde ich weiterhin Dinge oder Charaktereigenschaften ablehnen. Dieses Ablehnen (also letztendlich die negative Bewertung) von Objekten, Ereignissen oder Charaktereigenschaften führt auch dazu, daß ich für das was ich ablehne sensibilisiert bin, da ich, um etwas abzulehnen, die Energie in mir haben muß (wie wir in Kapitel 6 „Wechselwirkung unserer Gefühle mit der Wahrnehmung von Ereignissen und deren Bewertung" schon gesehen haben). Und wenn ich etwas ablehne, dann würde ich auch wollen, daß das was ich ablehne nicht mehr da ist, daß heißt im Extremfall ich würde das was ich nicht annehmen kann bekämpfen. Dieses nicht Annehmen oder dieser Kampf, würde wiederum eine Gegenreaktion dessen was ich ablehne zur Folge haben, welches wiederum beliebig fortgesetzt werden kann. Durchbrechen kann ich das nur, indem ich Objekte, Ereignisse oder Charaktereigenschaften nicht ablehne, sondern diese Gefühle transzendiere und damit als Chance zu wachsen, mich zu entwickeln, sehe.

Man kann also nur aktiv an der Schöpfung teilnehmen, wenn man einige Hürden überwindet. Es sind also vor dem Erschaffen von der Natur einige Sicherungen eingebaut. Das erinnert mich an den Lemuren aus einer Comic-Serie „Die Pinguine aus Madagaskar". Eines Tages schafft es der Lemur den Denkapparat (eine Erfindung des Wissenschaftspinguins) der Pinguine zu entwenden. Dieser Denkapparat kann in Null Komma Nix die Gedanken, desjenigen, der ihn trägt materialisieren. Der Lemur hat seine Gedanken leider nicht unter Kontrolle und plappert unbewußt so vor sich hin, was sich durch den Denkapparat dann jeweils materialisiert. Er denkt und sagt auch Dinge über seine tierischen Kameraden, die diesen auch zu schaffen machen. Schlußendlich wird dem Lemuren der Denkapparat fast zum Verhängnis, wenn nicht im letzten Moment die Pinguine dem Lemuren den Apparat vom Kopf gerissen hätten. Dies illustriert sehr „schön", daß wir die Macht, mit Gedanken zu erschaffen, erst haben werden, wenn wir unsere Gedanken unter Kontrolle haben, wenn wir alle Gefühle transzendiert haben, also wenn wir in der Lage sind bedingungslos zu lieben.

Haben wir alle Gefühle transzendiert, dann können wir bereits aufgrund von Gedanken, die mit unseren Gefühlen identisch sind, erschaffen. Egal welchen Gedanken, welche Intention wir haben, wenn wir diesen Gedanken, diese Intention auch empfinden können, dann wird sich unser Gedanke also unsere Intention erfüllen. Diese Intention kann, wie gesagt, nur lebensbejahend, also liebend sein, ansonsten hätten wir ja noch Gefühle in uns, die nicht transzendiert wären, also Gefühle die wir nicht liebend angenommen haben, und somit könnten wir nicht erschaffen!

Wenn wir über den energetischen Vorgang der Intention und Visualisierung Energien gerufen haben, dann wollen diese Energien auch gelebt werden! Dies geschieht dann weitergehend durch das mentale Auseinandersetzen und körperlich in Aktion Tretens. Leben wir die durch Intention und Visualisierung gerufenen Energien nicht, dann bekommt sie entweder jemand anderes (wir lassen die gerufenen Energien wieder los), oder es treten Spannungen in uns auf (wir ignorieren und blockieren die gerufenen Energien). Generell wollen natürlich alle Energien gelebt werden. Deswegen ist es ja notwendig, die Energien, die man nicht leben möchte loszulassen, ansonsten melden sich diese gerade in Streßsituationen zu Wort, und lenken das Leben in eine Richtung, die wir nicht wollen. Haben wir hingegen „nur" Energien, die wir auch leben wollen in uns, dann sieht unser Leben genauso aus, wie wir uns das wünschen.

Zusammenfassend stellen wir also fest:

Erschaffen kann ich nur, wenn ich in Resonanz mit dem Universum bin. Das bedeutet mein Denken (obere drei Chakren) und Fühlen (untere drei Chakren) schwingen im Gleichklang.

Dies ist nur dann der Fall, wenn ich keine Blockaden mehr in mir habe. Also die hinter den Blockaden liegenden Energien lebe und die Energien, die ich nicht wünsche, die ich nicht leben möchte, loslasse. Habe ich keinerlei energetische Blockaden mehr in mir, dann bin ich für die Energien des Universums praktisch supraleitend! Das heißt, die Energie des Universums läuft durch mich hindurch. Das wiederum bedeutet, ich bin das Gleiche wie das Universum und kann somit in Liebe Erschaffen! Ich bin dann in Harmonie, im Gleichklang mit dem Universum. Dies gilt selbstverständlich für alle Wesen des Universums. Das wiederum heißt, daß die Energie des Universums, die alles erschaffende Lebensenergie ist und diese direkt in uns allen ist. Diese Energie könnte sich in Energieform nicht erfahren, und deshalb ist es sinnvoll in Form von Materie sich selbst zu erfahren. Nur als Körper kann ich wiederum mit anderen Wesen, mit anderen Körpern interagieren, so daß ich Gefühle direkter, oder überhaupt erst wahrnehmen kann. Und mit dieser Wahrnehmung kann ich mich nicht nur entwickeln, sondern auch wiederum neu erschaffen, und somit an der Schöpfung selbst teilnehmen.

Das Bewußtsein aller Wesen des Universums bildet also ein Bewußtseinsfeld, welches sich natürlich auch ändert. Das bedeutet, wenn ich erschaffen will, dann ist die Zeit nicht immer reif für alles was ich erschaffen möchte. Ich muß warten können. Ich kann nur mit der gleichen Frequenz wie die stehende Welle des Spirits erschaffen. Wenn ich mich gegen diese Welle stelle, also eine andere Frequenz habe, dann zerstöre ich mehr als ich erschaffen kann!! Zumindest werde ich leiden!! Oder es wird anstrengend!

Jetzt, wo wir in der Lage sind unser Energiesystem zu reinigen, sollte auch noch Einiges über die Stärkung des Energiesystems gesagt werden. Die Stärkung des Energiesystems sollte zusätzlich zu der energetischen Reinigung erfolgen.

13.   Wie können wir unser Energiesystem stärken?

Die Stärkung unseres Energiesystems wird, wie sollte es anders sein, über die Gefühle gesteuert. Grundsätzlich haben wir ein starkes Energiesystem, wenn wir eine positive, lebensbejahende Einstellung zum Leben und zu der gesamten Schöpfung haben!

Das kann, wie wir alle wissen, in manchen Lebenssituationen beliebig schwierig sein.

Um diesem Ideal aber möglichst nahe zu kommen, versuchen wir die folgenden Gefühle in unser Leben zu integrieren:

1) Wenn wir **Dankbarkeit** für die vielen kleinen Dinge des Lebens empfinden, dann verstärken wir durch die Aufmerksamkeit auf die kleinen Dinge, in dem Moment auch die Amplitude der Welle. Dankbarkeit ist meines Erachtens eine Vorstufe von Lieben. Wir können ja nur für etwas Dankbarkeit empfinden was wir auch mögen und annehmen. Die Dankbarkeit fokussiert uns auf das was wir mögen.

Bei einer weltweiten Studie über die Zufriedenheit der Menschen in ihrem jeweiligen Heimatland, wurde herausgefunden, daß die glücklichsten Menschen in Bangladesch leben. Wir wissen, daß hier große Armut herrscht und können uns kaum vorstellen, daß die Menschen in Bangladesch glücklicher sein sollen, als die Menschen, die in Industrieländern leben. Es ist die Dankbarkeit für die vielen kleinen Dinge, die einem das Gefühl geben, daß alles im Leben gut ist.

Wenn man für alles was einem begegnet Dankbarkeit empfindet, dann sieht man in allem Unangenehmem die Chance sich zu entwi-

131

ckeln und in allem Angenehmen und sei es auch noch so klein und unscheinbar, die Schönheit. Die **Schönheit** ist sehr wichtig für das allgemeine Wohlbefinden und damit für das Energiesystem.

2) Des Weiteren sei hier noch die **Freude** erwähnt. Die Freude wurde an vielen Stellen aus unserem Leben verdrängt, da wir uns weniger auf das Jetzt konzentrieren, sondern unser Augenmerk und unser Bewußtsein mehr in der Zukunft liegt. Wir versuchen durch unsere jetzigen Aktivitäten eine für uns akzeptable Zukunft zu erschaffen, die uns z.B. das Gefühl von Sicherheit (z.B. in Form von Rente) vermitteln soll. Für das Gefühl von Sicherheit, welches wir hoffen in der Zukunft zu haben, werden durchaus Dinge unternommen, die uns im Jetzt keine Freude machen. Wir hoffen, daß in der Zukunft durch das Sicherheitsgefühl dann auch die Freude in unser Leben kehrt. Das ist aber ein Trugschluß. Gefühle entstehen nicht zufällig! Wenn ich jetzt keine Freude empfinde, wieso sollte ich in der Zukunft Freude empfinden? Entweder ich kann mich jetzt am Leben erfreuen, dann kann ich mich auch zukünftig am Leben erfreuen, oder ich kann es nicht. Ein anderes Gefühl (z.B. Sicherheit) bedingt nicht Freude oder Glück. Nur Freude ist Freude und Sicherheit ist eben ein völlig anderes Gefühl. Das wäre genauso, als wenn ich ein rotes Auto wünsche, aber zum Bäcker gehe und ein Brot kaufe. Das Brot kann das rote Auto in keiner Weise ersetzen! Wenn ich ein rotes Auto möchte, dann muß ich schon zum Autohändler gehen und eben ein rotes Auto kaufen. Klingt logisch, warum aber haben wir ein so großes Sicherheitsbedürfnis und meinen über die Sicherheit nun zu Freude und Glück zu gelangen?

Im Grunde genommen haben wir ein so großes Sicherheitsbedürfnis, weil wir glauben Sicherheit wäre für das Leben unabdingbar. Das Leben an sich ist nicht unsicher. Das Leben ist unendlich. Allein diese Tatsache sollte jedem von uns schon einmal ein gewisses Gefühl der Sicherheit geben. Das 3D Leben, das Leben in einem Körper ist zwar nicht unendlich, aber wenn ich körperlich aus dieser Inkarnation scheide, dann generiere ich mir einen neuen Körper in einem neuen sozialen Umfeld mit neuen Möglichkeiten mein Leben zu gestalten. Das Leben in einem Körper ist also der Zeit und damit auch Veränderungen unterworfen. Diese Veränderungen sind es, die uns letztlich Angst machen und somit ein Gefühl der Unsicherheit erzeugen. Wir wollen Glück festhalten, wir möchten, daß es uns immer gut geht, wir sehnen uns nach Sicherheit. Diese Sicherheit kann uns von „Außen" niemand geben, auch keine Versicherung oder ein Politiker, der uns versichert, daß die Rente sicher sei. Wir können das Gefühl der Sicherheit nur durch unser Bewußtsein, also durch die bewußte Betrachtung unserer Gefühle und wie diese uns durch das Leben leiten und Menschen und Ereignisse in unser Leben ziehen, erreichen. Dies erfordert eine Aufmerksamkeit und **Achtsamkeit** gegenüber allem was ist. Das hört sich schwierig an, aber sobald wir unsere Aufmerksamkeit auf unsere Gefühle gelenkt haben, fällt uns schon einmal per se vieles auf. Das ist wie beim Straßenverkehr. Wenn ich zu Fuß in der Stadt unterwegs bin, dann werde ich nicht alle möglichen Vorkehrungen treffen um mich meines Erachtens nach sicher durch die Straßen bewegen zu können. Ich werde mich einfach auf mein Vorhaben konzentrieren, also beispielsweise bestimmte Besorgungen zu machen, aber ich werde sicherlich nicht daran denken, daß mich ein Auto überfahren könnte. Ich werde mich auch nicht ängstlich an einer Ampel festhalten und es vermeiden die Straße zu überqueren. Ich werde einfach **achtsam** sein, den Verkehr beobachten und in einem günstigen Augenblick die Straße überqueren. Dieser Vorgang ist uns im alltäglichen natürlich geläufig, dennoch lassen wir uns in vielen Bereichen des Lebens einreden, daß das Leben unsicher sei. Wir verlassen uns dann auf die Polizei, Heerscharen von Anwälten, auf Versicherungen, auf technische Errungenschaften (z.B. Helme), „Sicherheiten" wie Haus und Hof oder Gold. Hieran sieht man sehr schön wie uns ein Gefühl eingeredet werden kann um letztlich damit Macht auszuüben. Es wird uns eingeredet, wir müßten eine Versicherung, oder ein Haus haben, um uns sicher zu fühlen; es wird uns eingeredet, wir müßten gegen den Terrorismus kämpfen, da der Terrorismus gigantisch ist und so viele Opfer fordert. Wußten Sie, daß wesentlich mehr Menschen durch Verkehrsunfälle sterben, als durch terroristische Attentate. Dennoch unternehmen wir wenig bis nichts gegen die Ursache von Verkehrstoten (die Fahrzeuge), aber im Verhältnis dazu viel gegen terroristische Anschläge.

Egal, was wir im „Außen" unternehmen, wir laufen mit unseren Aktionen immer dem Gefühl hinterher. Wir fühlen uns beispielsweise schutzlos, deswegen errichten wir eine Mauer. Diese Mauer kann aber von Einbrechern überwunden werden. Daraufhin installieren wir Kameras, aber auch diese stellen keine Maßnahme gegen Einbrecher dar. Hier hilft nur die eigenen Gedanken und Gefühle bewußt wahrzunehmen und zu steuern. Fühle ich mich als Opfer, bin ich eine unausgesprochene Einladung für einen potentiellen Täter.

Wie können wir uns nun weniger der Angst und mehr der Freude hingeben? Einerseits indem wir das Gefühl der Angst, in diesem Falle der Unsicherheit, beleuchten also transzendieren und indem wir uns jetzt der Freude hingeben und die Dinge machen, die uns erfreuen. Wir haben ja nur das JETZT. Durch unsere jetzigen Entscheidungen prägen wir natürlich auch unsere Zukunft. Das heißt, daß Jetzt und die Zukunft müssen sich nicht zwangsläufig ausschließen. Ich kann sehr wohl jetzt Freude an meiner Arbeit haben und damit auch gleichzeitig etwas für meine Rente tun. Nur wenn ich Freude an meiner Arbeit habe, habe ich ausreichend Energie zur Verfügung, so daß ich nicht das Gefühl habe, ständig gegen irgend etwas ankämpfen zu müssen. Dies ermöglicht letztlich auch, daß ich das Rentenalter überhaupt erreiche und nicht vorher, mit den Füßen voran, aus meinem Büro getragen werde. Wer Freude hat, der springt morgens aus dem Bett und liebt das Leben! Die Liebe zu dem was man tut, ist dann auch die Bedingung um erfolgreich sein zu können. Dieser Erfolg ebnet dann ja nahezu den Weg in eine erfüllte Zukunft.

Nur wenn ich jetzt nicht Freude an meiner Arbeit habe (oder generell an dem was ich tue), dann sollte ich etwas ändern und eben nicht darauf hoffen, daß sich das in naher oder ferner Zukunft irgendwie auszahlt, daß ich jetzt leide. Wenn ich dieses Gefühl wieder in Freude umwandeln kann, dann richte ich mich automatisch auf eine völlig andere, glücklichere Zukunft aus! Das Gefühl des Leidens entfernt mich ja gerade vom Leben und bringt mich dem Tod ein Stück näher. Das sieht man dann recht eindrucksvoll, wenn man beobachtet, wie sich Menschen mit Haus und Hof und der eigenen Firma fast zu Tode schuften, in dem Glauben sie würden etwas für die nachfolgenden Generationen (z.B. ihre Kinder) hinterlassen. Das stellt sich dann als Trugschluß heraus in dem Moment, wo die Kinder eigene Entscheidungen treffen und nicht selten völlig andere Vorstellungen von ihrem eigenen Leben haben.

Interessant ist hierbei noch die Tatsache, daß wenn man Sterbende fragt, was sie in ihrem Leben gerne anders gemacht hätten, man nie die Antwort bekommt: „Ich hätte mehr arbeiten sollen". Die Antwort auf eine solche Frage ist hingegen meist so geartet, daß die Sterbenden sagen, sie hätten sich z.B. mehr um ihre Kinder kümmern sollen, mehr das Leben genießen.... Man erfährt von Sterbenden viel über das Leben, schon paradox, oder?

Nun gibt es noch einen tieferen Grund warum Menschen vielfach das tun was sie eigentlich gar nicht wirklich wollen. Zum Einen haben wir gesehen, daß es an dem Sicherheitsbedürfnis liegt. Hinter dem Sicherheitsbedürfnis liegt dann unser mangelndes Vertrauen, welches wir dem Leben gegenüber haben. Dieses mangelnde Vertrauen geht dann einher mit Ängsten unterschiedlicher Art. Wenn wir hingegen diese Ängste transzendieren, indem wir uns genau anschauen wovor wir eigentlich Angst haben, dann ist der Weg für die Freude und damit das Leben geebnet!

Apropos Leben, man hat herausgefunden, das die mangelnde Freude Ursache für Krankheit ist (eigentlich logisch, da wir ja bei mangelnder Freude die Lebensenergie blockieren). Im Umkehrschluß werden durch die Integration von Freude durchaus Krankheiten geheilt. Integrieren wir doch mehr die Freude in unser Leben!!

3) Ein wichtiger Punkt um Energieverluste zu vermeiden ist, sich grundsätzlich mit Menschen zu umgeben, die nicht von unserer Energie leben. Die also nicht ständig unsere Zusprache und Aufmerksamkeit benötigen, sondern ihr eigenes Leben selbstverantwortlich in die Hand nehmen. Diese sogenannten „**Energiesauger**" erkennt man am Besten daran, daß man sich nach einem solchen Zusammensein mit einem solchen Menschen energetisch ausgelaugt und müde fühlt. Es gibt z.B. recht viele ältere Menschen, die lediglich nur über körperlichen Gebrechen und über Ihre Krankheiten reden möchten. Das ist einerseits natürlich verständlich, da körperliche Befindlichkeiten unser Bewußtsein stark binden und somit nicht mehr viel Raum für andere Gedanken und Gefühle übrig bleibt. Andererseits habe ich aber auch die Erfahrung gemacht, daß gerade die älteren unter uns nicht bereit sind ihre Sichtweise zu ändern und sich auf den sanften Weg der geistigen Heilung z.B. durch Schamanismus, noch dazu ohne Nebenwirkungen einzulassen. Energiesauger sind die Menschen, die sich einfach nur im mentalen, verstandesmäßigen Kreis drehen wollen und Hilfe zur Selbsthilfe ablehnen. Das wäre genau so, als ob Sie beispielsweise auf einer wunderschönen Wiese stehen und der Hilfesuchende sich gerade in einem Sumpf befindet. Die Lösung ist hier nicht sich zu dem Hilfesuchenden in den Sumpf zu gesellen, damit dieser sein vermeintliches Schicksal leichter ertragen kann und sich nicht so alleine fühlt. Sinnvoll ist natürlich, daß der Hilfesuchende die Welt der wunderschönen Wiese versteht, seine eigene Wahrnehmung des Sumpfes aufgibt und man sich eben gemeinsam auf der Wiese trifft. Der Hilfesuchende hört also eher dem auf der Wiese stehenden zu und nicht umgekehrt.

4) Als vierten und letzten Punkt zur Energiestärkung spielt die **Energiefokussierung** eine sehr wichtige Rolle. Wenn ich mich mit x-unterschiedlichen Projekten gleichzeitig befasse, dann geht meine Energie in x-verschiedene Richtungen und ist eben alles andere als fokussiert. Die Energie läßt sich sehr leicht auf einen Punkt ausrichten, indem ich mich auf nur eine Sache (zumindest zur Zeit konzentriere). Heutzutage gilt es ja als besonders schick, mindestens fünf

Dinge gleichzeitig verrichten zu können. Hierbei verläuft nicht nur die Zeit wesentlich schneller als wenn ich mich auf nur eine Sache konzentriere, ich werde auch nach solchen Aktionen den Eindruck haben, nichts von den fünf Dingen wirklich erlebt zu haben. Ich mache in solchen „multi-tasking" –Aktionen nichts von dem was ich tue, wirklich bewußt! Hier gilt es also im Jetzt verankert wirklich alles sehr bewußt zu fühlen (auch wenn es „nur" der Abwasch ist).

Zusammenfassung:

Um unser Energiesystem zu stärken, sollten wir für alles was uns an Positivem im Leben begegnet dankbar sein. Wir können uns z.B. immer abends vor dem Schlafengehen fünf Punkte überlegen, die an diesem ausklingenden Tag positiv waren und wofür wir dankbar sind.

Wir sollten uns generell mit Schönheit umgeben und möglichst ein Ausdruck der Schönheit sein. Das heißt natürlich nicht, daß man sich die Haare färbt und allwöchentlich beim Friseur sitzt. Schönheit strahlt von Innen heraus. Wenn wir an allem was IST Freude haben, viel lachen, unseren Nachbarn so lassen wir er/sie ist, spielen, uns bewegen und uns gesund ernähren, dann strahlen wir. Das ist Schönheit!

Des Weiteren können wir unser Energiesystem stärken indem wir uns auf das was JETZT ist konzentrieren, im JETZT zentriert sind und für das was JETZT ist Liebe und Freude empfinden. Wie wir wissen ist Liebe Verbundenheit. Um diese Verbundenheit zu erreichen, brauchen wir Verständnis für jeden Teil der Schöpfung, also für jedes Ereignis und jedes Lebewesen. Dieses Verständnis befähigt uns zur Selbstverantwortung (die Fähigkeit in jeder Situation, auf alles was ist die richtige Antwort zu haben)!

Diese Liebe und Freude im JETZT können wir letztlich nur erfahren, wenn wir alle energetischen Blockaden aus unserem Energiesystem entfernt haben. Diese energetischen Blockaden bestimmen unser

Denken und Handeln, bilden also somit unser persönliches Weltbild. Wenn ich über jemanden schlecht denke, dann kann ich denjenigen einfach nicht lieben und mich an dessen Präsenz erfreuen. Dieses persönliche Weltbild sorgt für Spannungen mit der Realität (also der Wahrheit). Wie wir bereits gesehen haben, können diese energetischen Blockaden aus unserem Energiesystem entfernt werden, somit sind wir durchlässiger für die Lebensenergie und wir erfahren dann mehr und mehr die Wirklichkeit. Das Ziel ist es also der Wirklichkeit, der Wahrheit durch energetische Reinigung immer näher zu kommen. Für diesen Prozeß ist es sehr hilfreich aus logischen Überlegungen heraus zu wissen, was die Wahrheit eigentlich ist, nicht zuletzt um das Endziel genauer zu kennen, sondern auch um die einzelnen energetischen Blockaden überhaupt aufspüren zu können. Das folgende Kapitel wendet sich der Frage zu, wie man über die Logik zur Wahrheit, zur Wirklichkeit gelangt und ob Logik und Gefühl sich gegenseitig ausschließen.

14. Was ist Verstand, Logik, Gefühl und die Intuition?

Wenn wir die Welt in der wir leben, verstehen wollen, dann müssen wir sie als erstes analysieren. Der **Verstand** hat die Aufgabe alles was die Welt ausmacht zu analysieren und dabei herauszufinden wie die einzelnen Dinge beschaffen sind, welche Naturgesetzmäßigkeiten ihnen zugrunde liegen. Diese analytischen Denkprozesse des Verstandes finden, wie wir bereits wissen, im Neocortex statt. Hierbei versucht der Verstand möglichst objektiv vorzugehen und die subjektiven, emotionalen Bewertungen des limbischen Systems aus dem analytischen Prozess heraus zu halten.

Wie wir im Verlauf dieses Buches gesehen haben, resultieren diese emotionalen Bewertungen des limbischen Systems aus Erfahrungen, die wir im Laufe unseres Daseins (welches viele Leben einschließt) energetisch gespeichert haben und die sozusagen gewisse Programmierungen darstellen, welche uns zu immer wiederkehrenden Denkmustern und Handlungen bewegen. Werden die emotionalen Bewertungen, also die gefühlsmäßigen Anhaftungen, der gemachten Erfahrungen, durch den in Kapitel 11 „Energetische Reinigung" beschriebenen, energetischen Vorgang, gelöscht, sind wir in der Lage die Welt ohne unsere persönlichen Filter wahrzunehmen. Nach dieser energetischen Reinigung nehmen wir die Welt über den präfrontalen Cortex wahr. Der Übergang vom Neocortex zum limbischen System findet dann nur noch in Einzelfällen statt, z.B. in „Extremsituationen". Die Aufgabe des präfrontalen Cortex ist es, die Informationen der Chakren als Ganzes auszulesen und gegebenenfalls an den Neocortex zur Analyse und weiterer Verarbeitung und über den Neocortex wiederum zum limbischen System zu geben. Befinden sich in den Chakren, und damit in dem Energiesystem, gespeicherte gefühlsmäßige Anhaftungen an Erfahrungen, läuft dieses gespeicherte Programm ab und wir befinden uns in gewohnten Denkmustern, die schwer verstandesmäßig zu durchbrechen sind. Sind die energetischen Anhaftungen an Erfahrungen gelöscht, ist das Energiesystem rein, dann nehmen wir die Welt ohne unsere persönlichen Filter, ohne unsere Programmierungen wahr, und der präfrontale Cortex ermöglicht uns die Welt unverfälscht als Ganzes zu sehen. Wir sehen die Welt quasi von oben, von außen und sind so in der Lage die Zusammenhänge zwischen einzelnen Teilaspekten, oder zwischen einzelnen Problemen zu erfassen.

In der Analyse der Welt (und auch unserer Probleme), beschäftigen wir uns mit den Einzelteilen. Nun ist das Ganze nicht die Summe seiner Einzelteile, sondern die Einzelteile sind harmonisch miteinander verbunden und bilden so das Ganze. Der präfrontale Cortex ermöglicht uns genau diesen Blick auf die allen Dingen zugrunde liegende Verbindung oder Harmonie. Mit diesem Blick auf das Ganze und die Gesetzmäßigkeiten der Zusammenhänge, sind wir nun in der Lage Vorgänge intuitiv zu erfassen. Die Zusammenhänge sind es ja gerade, die uns die **Intuition** ermöglicht. Hierbei ist die Intuition auch objektiv! Wenn ich z.B. weiß, daß 1+2=3 ist, dann weiß ich an sich noch lange nicht was nun 3+4 ist, es sei denn, ich kenne die Zusammenhänge zwischen den Zahlen. Wenn ich also weiß wie Addieren an sich funktioniert, dann weiß ich auch, daß 3+4=7 ergibt und kann die Vorgehensweise, Zahlen durch Addition miteinander zu verknüpfen, auf alle natürlichen Zahlen anwenden. Der Zusammenhang (die Verknüpfung) muß also klar sein! Wenn ich nur die Zahlen kenne und die Verknüpfung (Addition) nicht, dann werde ich nicht wissen was 3+4 ergibt. Die Zahlen müssen harmonisch miteinander verbunden werden, so daß das Gesamtsystem der Addition und der Zahlen in sich schlüssig, also logisch ist und wiederum ein harmonisches Ganzes ergibt. Das heißt, ich kann 3+4 nicht irgendwie miteinander verknüpfen. Es kann nicht 1+2=3 sein und 3+4=12. Das wäre unlogisch, und die Zahlen wären irgendwie miteinander verknüpft, aber nicht harmonisch miteinander verbunden.

Logik ist die Kunst der richtigen Zusammenhänge (Verknüpfungen) der Einzelteile, so daß ein harmonisches Ganzes entsteht. Intuitiv erfassen kann ich etwas, wenn ich mich der Logik bediene. Wir haben in den vielen vorangegangenen Leben viele Traumata erfahren und somit „Dinge" miteinander verknüpft, die nicht zusammen gehören. Als Beispiel hierfür möchte ich den ehemaligen rumänischen Staatspräsidenten Nicolae Ceaușescu und speziell seine Frau Elena anführen. Wie wir wissen, waren die Ceaușescus Diktatoren und das rumänische Volk hatte während der Herrschaft wenig zu lachen. Die Ceaușescus sind selber in extrem armen Verhältnissen aufgewachsen, von Nicolae Ceaușescu ist bekannt, daß er eines von neun Kindern war. Eines seiner Geschwister bekam den gleichen Namen Nicolae, da die Mutter vergessen hatte, daß sie eines der anderen Kinder bereits so genannt hatte. Es galt als normal, daß eine Frau viele Kinder bekam, diese konnten nicht ausreichend versorgt werden und wurden vielfach mißhandelt. Genau das was die Ceaușescus in Ihrer Kindheit erlebt hatten, genau dies haben sie später auch an ihr Volk weitergegeben. Kurz vor ihrer Hinrichtung hat Elena Ceaușescu zu den Soldaten gesagt: „Vergeßt nicht, daß ich wie eine Mutter zu Euch war!". Ich denke Elena Ceaușescu meinte dies wirklich Ernst! Das was sie unter einer Mutter verstand, war genau das was sie gegenüber ihrem Volk war. Hätte sie die Wahrheit erkannt, daß sie eine schlechte Kindheit hatte und in dieser Zeit wahrscheinlich keinerlei Liebe und Zuwendung erfahren hat, dann wäre später daraus eine andere Handlung erwachsen. Aus solcherlei Denkprozessen ergibt sich durchaus ein völlig anderes Leben! Wir sollten nur ehrlich zu uns sein und die Betrachtungen auch zu Ende führen. Es ist eben unlogisch davon auszugehen, daß mein Vater, meine Mutter mich geliebt haben und mich gleichzeitig geschlagen oder gar mißhandelt haben.

In der Logik fühlen wir uns wohl, weil die Dinge harmonisch miteinander verknüpft werden. Das sieht man sehr schön im Umgang mit Kindern. Kinder (und letztlich auch Erwachsene) fühlen sich in einer konsequenten, logischen Umgebung sehr wohl. Und dies kennen Sie sicherlich aus Ihrem Alltag, wenn Ihr Chef heute z.B. etwas völlig anderes von Ihnen erwartet, als er das gestern noch tat, dann würden Sie bei solchen anhaltenden unlogischen Zuständen verzweifeln, resignieren und womöglich gar nichts mehr tun.

Da aus natürlicher Sicht, alles logisch miteinander verknüpft ist, bietet die Logik einen Blick auf die zugrundeliegende **Harmonie** aller Dinge (dies gilt nicht zwangsläufig für die von Menschen gemachten Dinge).

Wer den Blick auf das Ganze nicht hat und die Zusammenhänge der Einzelteile, die das Ganze ergeben, nicht kennt, für den wirkt die Intuition wie etwas Magisches, Mystisches. Wie wir bei unserem Zahlenbeispiel sehen konnten wäre dann derjenige, der die Verknüpfungen der Zahlen kennt (also jemand der die Addition auf alle Zahlen anwenden könnte) gegenüber denjenigen, welche die Verknüpfungen nicht kennen, fast schon genial. Er würde mit einer Leichtigkeit beliebige Additionsaufgaben lösen können, während die anderen (die wie gesagt die Verknüpfungen nicht kennen) verzweifelt versuchen die Additionsaufgaben vielleicht auswendig zu lernen, was natürlich bei der Menge an beliebigen Aufgaben nicht möglich wäre. Also aus der Sicht des genialen Additionsaufgabenlösers würden sich die anderen noch immer verzweifelt mit den Details (der einzelnen Aufgabe) abgeben. Solange man sich aber mit den Details beschäftigt, so lange kann man das Ganze nicht sehen. Das Gleiche gilt z.B. für einen Koch. Wenn der Koch die Zutaten irgendwie völlig willkürlich, also ohne Prinzip, miteinander vermischt (verknüpft), dann wird das zubereitete Gericht wahrscheinlich nicht schmecken, es sei denn der Koch ist gefühlsmäßig mit den Zutaten verbunden und fühlt, welche Zutaten miteinander harmonieren und welche nicht. Wenn der Koch die Zutaten für ein Gericht wirklich blind ohne Gefühl und ohne Verstand miteinander vermengt, dann ist es fast ausgeschlossen, daß das zubereitete Gericht wohlschmeckend ist. Man schmeckt sehr deutlich, ob jemand Freude und die nötige Liebe am Kochen hat oder nicht!

Auch ein Musiker wird es schwer haben, wenn er zwar die einzelnen Tasten seines Klaviers kennt und auch weiß welche Töne diese Tasten so von sich geben, aber nicht weiß wie er diese Tasten oder Töne sinnvoll also harmonisch miteinander verbindet.

Die Harmonie ist auch der Unterschied zwischen unserem persönlichen Weltbild und der Realität also der Wahrheit. Die einzelnen Aspekte unseres persönlichen Weltbildes, die aufgrund von subjektiven Bewertungen und Anhaftungen an Erfahrungen entstehen, sind nicht harmonisch miteinander verbunden. Nur die Realität oder die Wahrheit verbindet alles harmonisch miteinander.

Anhand dieser kleinen Beispiele können wir sehr schön erkennen, daß wir ein Gefühl für die Harmonie haben müssen, wenn wir etwas Harmonisches erschaffen wollen. Es gibt dabei keine wirklich feste Regel. So etwas wie: „wenn ich die erste Taste des Klaviers drücke, dann muß ich auch immer die sechste Taste des Klaviers betätigen...". Sicherlich gibt es einige Richtlinien der Harmonie, gerade in der Musik in Form der Harmonielehre, die Harmonielehre entstand aber letztlich aus dem Gefühl für schöne Musik. Zuerst war demnach das Gefühl und dann kam die Erkenntnis über die dem Gefühl zugrunde

liegenden Gesetzmäßigkeiten in Form der Harmonielehre. Nur mit
dem Wissen über diese Gesetzmäßigkeiten der Harmonie in der Musik aber ohne das Gefühl für die Musik und für die einzelnen Töne,
werde ich keine wirklich schöne Komposition zustande bringen.
Harmonie erkennt man immer an der Schönheit. In der Umgebung
von Harmonie fühlen wir uns immer wohl, immer zu Hause. Das liegt
daran, daß die Harmonie letztlich auch unser zu Hause ist. Unsere
Lebensenergie, daß was uns also ausmacht, ist pure Harmonie. Sie
verbindet alles Sein harmonisch miteinander. Wie ich weiter oben
schon erwähnte, ist die alles durchdringende Lebensenergie auch pure
bedingungslose Liebe (sie fühlt sich jedenfalls so an wie bedingungslose Liebe). Auch Liebe verbindet. Geht ein Paar harmonisch miteinander um, so lieben sich die beiden Menschen, die das Paar bilden.
Sind wir in Harmonie zu der Welt als Ganzes, so lieben wir bedingungslos, wir lieben alle Teilaspekte der Welt. Harmonie ist damit
auch die richtige Einstellung zu den Teilaspekten der Welt innehabend.

Harmonie oder bedingungslose Liebe beinhaltet alles, schließt alles
mit ein. Einzelne Teilaspekte des Ganzen (Ego) können hierbei nicht
hervortreten oder unterdrückt werden, dann wäre das Ganze nicht
mehr ausgeglichen, es wäre instabil. Wenn ich z.B. durch zu viel Alkohol meine Leber schädige, dann werde ich auch meinen Körper als
Ganzes schädigen. Nicht nur, weil die Leber eine bestimmte Aufgabe
innerhalb meines Körpers hat, die sie dann nicht mehr so gut erfüllen
kann, sondern auch, weil alle Organe, so auch die Leber, harmonisch
mit den jeweils anderen Organen und überhaupt mit meinem gesamten Körper (also auch mit den Schleimhäuten, mit den Zähnen...) verbunden sind. Funktioniert ein Organ nicht mehr richtig, so können
auch die anderen Organe nicht mehr richtig arbeiten.

Verstand ohne Gefühl ist also, die Teilaspekte des Ganzen betrachten,
ohne die Zusammenhänge zu kennen. Das ist wie vor einem wunderbaren Klavier zu sitzen, die einzelnen Tasten und den gesamten Mechanismus des Klaviers genau zu kennen, aber dennoch nicht zu

„wissen" wie wir aus dem Klavier eine schöne Melodie erklingen lassen können, also nicht zu wissen wie wir erschaffen können. Das Gefühl welches also die einzelnen Töne miteinander harmonisch verbindet ist letztlich genauso wenig unlogisch wie die Musik!

Harmonie bedeutet letztendlich, daß wir in Harmonie, in Einklang mit der stehenden Welle des Universums sind! Wir tanzen dann quasi zur gleichen Melodie des Universums.

Das beste Wahrnehmungsorgan für Harmonie ist unser Herzchakra im reinen, unverfälschten Zustand. Durch die Verbindung der einzelnen Chakren untereinander ist das Herzchakra rein, wenn die anderen Chakren ebenfalls rein sind. Disharmonie bemerken wir daran, daß sich unser Herzchakra zusammenzieht, dabei schmerzt es etwas. Das geschieht z.B. wenn jemand etwas, für uns, Unangenehmes sagt. Das heißt, der beste Indikator für Harmonie ist unser Gefühl. Das Gefühl nimmt ganzheitlich war, der Verstand ist in der Dualität und sieht nur den Ausschnitt. Natürlich ist das Gefühl bei jedem anders, da die Bewertung, und damit das Programm, bei jedem ein anderes, also subjektiv ist. Dennoch: sind die Bewertungen gelöscht, gibt das Gefühl ein reines Abbild der Wirklichkeit wieder!! Das Gefühl wird dem Weiblichen (Ying) zugeordnet. Der Verstand wird dem Männlichen (Yang) zugeordnet. Der **Verstand analysiert** die Teilaspekte logisch, das **Gefühl verbindet** die Teilaspekte logisch miteinander. Das Eine kommt ohne das Andere nicht aus! Das Bindeglied (oder das Gemeinsame) zwischen Beidem (Männlich/Weiblich, Yang/Ying, Verstand/Gefühl) ist die Logik, die Harmonie, die Liebe!

Solange wir also die alten Programme energetisch oder gefühlsmäßig in uns haben, solange sind wir auf Gedeih und Verderb auf unseren Verstand angewiesen. Wir haben nur unseren Verstand, da uns unser Gefühl durch die alten jetzt unzweckmäßig gewordenen Programme in die Irre leiten würde. Geht es Ihnen vielleicht auch so, daß Sie beispielsweise gerne etwas schlanker wären, Sie aber abends gerne in die Chipstüte oder in die Pralinenpackung greifen, obwohl Sie genau wissen (Verstand), daß dies kontraproduktiv wäre? Ihr Gefühl sagt: "Jetzt einen netten Abend vor dem Fernseher mit Chips oder Pralinen". Sie können sich diesem Gefühl schlecht entziehen, auch wenn Ihr Verstand vielleicht sagt: „Geh' doch lieber noch eine Runde joggen". Sie können sich dem Gefühl nicht entziehen, da Ihr Zentralnervensystem von dem Programm etwas vermeintlich „Leckeres" zu essen gehijacked wird. Der Verstand kann Sie aber auch nicht davon abhalten, Ihre Diätvorsätze zu konterkarieren. Der Verstand kann beeinflußt werden und ist somit ein wunderbares Instrument zum Machtmißbrauch. Dem Verstand kann man so ziemlich alles erzählen, wenn es so halbwegs plausibel erscheint.

Haben wir unser Energiesystem von den alten Programmen befreit oder haben wir unsere Gefühle bereinigt, dann können wir uns voll und ganz den Gefühlen hingeben und ihnen vertrauen, dann haben wir unsere Intuition voll entfaltet, die uns nicht in die Irre führt.

Grundsätzlich läßt sich festhalten, daß die Intuition energetisch wesentlich weniger Aufwand erfordert, als das reine verstandesmäßige Vorgehen. Die Intuition ist auch keineswegs dem Zufall unterworfen, wie vielleicht gemeinhin angenommen wird. Die Intuition ist äußerst treffsicher, wenn sie im transzendenten Zustand erfolgt. Der transzendente Zustand sollte möglichst vollständig sein, also alle Gefühle sollten transzendiert worden sein, ansonsten wird die Intuition leicht mit Informationen aus dem limbischen System verwechselt!

Die Informationen aus dem limbischen System zeigen lediglich an, daß gerade ein „Knopf" gedrückt wurde (also eine energetische Blockade aktiviert wurde) und somit kreisförmige, immer wiederkehrende Muster in Aktion treten.

Wenn wir in einem transzendenten, gereinigten Zustand sind, dann nähern wir uns immer mehr dem Göttlichen und die Realität stellt sich anders dar, wir erkennen dann die Wahrheit. Was genau ist aber die Wahrheit?

15. Was ist die Wirklichkeit, die Wahrheit, der Spirit, Gott?

Wie ich bereits erwähnte, hat Gott unzählige Namen und ist doch der namenlose EINE. Gott wird in unterschiedlichen Kulturen unterschiedlich benannt. **Gott ist die alles umfassende Lebensenergie die sich durch das gesamte Universum zieht und alles was IST durchdringt.** Selbst in der Physik ist diese Energie angekommen und wird hier als „Nullpunktenergie" bezeichnet. Nahezu jeder stellt sich unter „Gott" etwas völlig anderes vor. Das liegt zum Einen daran, daß eine Begrifflichkeit immer eine bestimmte Vorstellung beinhaltet und zum Anderen, daß wir alleine durch den Akt des Vorstellens vom Göttlichen zu völlig unterschiedlichen Schlüssen über das Göttliche gelangen. Das Göttliche ist nicht durch eine Imagination erfahrbar (deshalb auch eines der zehn Gebote: „Du sollst Dir kein Bild von mir (Gott) machen"), sondern allein durch die Schöpfung, über alles was IST, ist Gott erfahrbar. Gott ist also Ausdruck des gesamten Universums, aller Naturphänomene, der gesamten Natur, Ausdruck von Ihnen und von mir… es gibt nichts was IST, was Gott nicht erschaffen hat. **Gott ist diese allumfassende Energie, die allem und jedem innewohnt. Gott erfährt sich durch die Schöpfung selbst.** Das Göttliche erschafft aus sich heraus, durch das Gefühl. Sobald ein bestimmtes Gefühl erschaffen ist, ist dieses Gefühl nicht mehr das Ganze, sondern eben etwas Bestimmtes; erschaffen von Gott, aber in dieser Form als ein bestimmtes Gefühl eben nicht mehr Gott, da Gott ja alle Gefühle beinhaltet. Dieses erschaffene Gefühl ist eine bestimmte Schwingung und kann sich somit materialisieren, also eine Form annehmen. Es gibt zwar endlich viele unterschiedliche Schwingungen, die sich minimal unterscheiden, aber es gibt unendlich viele Kombinationen dieser Schwingungen. Somit gibt es unendlich viele Möglichkeiten der Schöpfung.

Gott ist jenseits der Schöpfung also zeitlos (ewig) und formlos.
Die Schöpfung in „Form" eines bestimmten Gefühls unterliegt der Zeit, da jedes Gefühl einer Intention folgt also zweckgerichtet ist und

146

sobald dieser Zweck, das eigentliche Ziel, die Erfahrung erreicht ist, wird das Gefühl transformiert. Ein Gefühl kann überhaupt nur in einem bestimmten Zeitrahmen erschaffen werden.

Ein Gefühl kann nicht aus sich heraus, quasi aus dem Nichts entstehen. Es braucht eine Intention, somit ein Bewusstsein. **Gott ist unendliches Bewusstsein.**

Das bedeutet, daß Sie (und alles was IST ebenso) aus dieser göttlichen Energie herausgetreten sind und sich durch Ihre ureigenen Entscheidungen selbst erschaffen haben. Das kann man sich dann praktisch so vorstellen, daß Sie aus der göttlichen Einheit heraustraten um sich beispielsweise als Einzeller oder später beispielsweise als Fisch zu fühlen um als Fisch Erfahrungen zu machen. Durch diese Erfahrungen (und deren Bewertungen) in all den Inkarnationen sind Sie letztlich das geworden, was Sie heute sind. Das ist eine Wahnsinnsleistung, die viel abverlangt. Wirklich glücklich können Sie in Ihrer Individualität nicht dauerhaft sein, Glück und Verbundenheit erfahren Sie nur wieder in der Einheit.

Wenn wir wieder in dieses unendliche Bewusstsein eintauchen (letztlich sind wir immer mit diesem unendlichen Bewusstsein verbunden, wir haben nur so viele Glaubenssätze/Überzeugungen in Form von energetischen Blockaden, die uns in einer Illusion wähnen. Wir glauben wir seien vom Göttlichen getrennt.), dann empfinden wir dies als bedingungslose Liebe. Das ist insofern auch verständlich, weil wir in diesem Moment des Eintauchens genau das Gleiche sind wie die Lebensessenz des Universums und dieses fühlt sich dann einfach an wie bedingungslose Liebe. (Der Umkehrschluß gilt genauso, der besagt, daß letztlich alles aus Liebe erschaffen ist.) Mein Lieblingsbeispiel ist hier der Tropfen Wasser, der in eine Schale mit Wasser fällt. Der Tropfen Wasser ist dann total zu Hause, er ist quasi unter seines Gleichen, er ist mit dem restlichen Wasser verbunden. Der Tropfen Wasser ist in dem größeren Wasser dann im Prinzip genauso groß wie das größere Wasser und nicht mehr so „klein" wie der Tropfen Wasser.

Das Gefühl des Eintauchens ist nicht das Gleiche wie „sich auflösen". Man löst sich nicht auf, man wird nur größer und weiter. Das fühlt sich wiederum so an, als wenn man ein fremdes Land besucht und vorher möglicherweise nichts als das eigene Dorf gesehen hat. Dann löst man sich ja auch nicht auf, der Wahrnehmungshorizont wird nur größer und weiter. Plötzlich kann man die Menschen in dem anderen Land viel besser verstehen. Wenn man lange genug in dem anderen Land verweilt und eine gewisse Offenheit mitbringt, dann fühlt man sich mit den dort lebenden Menschen verbunden!

Dennoch kann man, nachdem der **Tropfen Wasser** ins größere Wasser eingetaucht ist, den ursprünglichen Tropfen nicht mehr identifizieren. Man kann nicht sagen: „genau dieses hier oder dieses dort war der Tropfen der eben in das Wasser fiel". Diese Identifikation, die man nun nicht mehr vornehmen kann, ist ja genau der Punkt, der im Umkehrschluß auch besagt, warum man sich im Moment des Eintauchens mit allem verbunden fühlt, wenn wir uns nicht mehr mit unserem Körper, mit unseren Problemen oder mit unseren Rollen identifizieren (körperliche und mentale Ebene). Wir haben dann durchaus noch immer die gleichen Probleme wie vorher, nur können wir diese von einer höheren Warte aus wesentlich leichter lösen. Egal womit wir uns identifizieren (mit unserem Beruf, mit unserer Rolle als Familienmitglied...) keine dieser **Identifikationsmerkmale** wird dem gerecht was wir wirklich sind. Jedes dieser Merkmale hält uns auch gefangen, denn wenn wir uns z.B. mit unserem Beruf identifizieren, dann können wir unseren Beruf auch nicht einfach wechseln, sonst haben wir wirklich das Gefühl nicht mehr richtig existent zu sein und das beinhaltet Leiden.

Tauchen wir in die bedingungslose Liebe ein, dann sind wir nicht mehr in irgendeiner Weise beschränkt, wir sind so groß wie die bedingungslose Liebe selbst, und diese ist unendlich, weil sie auf nichts Spezifisches bezogen ist. Wenn ich also sage, ich mag Katzen aber Hunde mag ich nicht, dann liebe ich möglicherweise eben nur Katzen, diese mit all ihren möglichen Macken dann vielleicht auch bedingungslos. Dennoch bin ich dann aber auf Katzen beschränkt, das wäre alles andere als unendlich. Die bedingungslose Liebe ist nicht auf ein Objekt/Subjekt oder Ereignis beschränkt, sie schließt alles Sein ein (sowohl männlich, als auch weiblich). Mit dem Begriff „unendlich" haben wir so unsere Mühen. Eine Unendlichkeit können wir uns schlecht vorstellen. Alles was wir Menschen erschaffen haben, hat eine Endlichkeit. Auch unser Körper, mit dem wir uns sehr identifizieren, ist der Endlichkeit unterworfen. Letztlich leben wir, von der mentalen Ebene aus betrachtet, in der **Dualität**. Alles was wir wahrnehmen ist dual, wir betrachten es als dual, also Leben/Tod, kalt/warm, Freund/Feind, männlich/weiblich (Ying/Yang), gut/schlecht, Katzen sind gut/Hunde sind nicht gut. Die einzelnen Teile eines dualen Paares sind von Natur aus der Endlichkeit unterworfen. Ein Freund kann zu einem Feind werden, die Katze kann mich furchtbar kratzen oder wir stellen uns einfach keine liebe Hauskatze vor, sondern einen Löwen, der uns ebenfalls sehr bedrohen kann. Plötzlich, also bei „zu viel" Katze, überlegen wir uns noch einmal ob wir die Katze so bedingungslos lieben wie wir dachten. Das Gleiche gilt für den Freund. Sitz der Freund bei uns jeden Tag auf dem Sofa und gönnt uns gar keine ruhige Minute, kein Privatleben mehr, dann kann er durchaus zumindest zum „nervigen" Freund werden. Man kann an diesen Beispielen sehr schön sehen, daß jedes Teil eines dualen Paares eine endliche Grenze hat und der Übergang zwischen den Teilen fließend ist. Letztlich gibt es die Dualität gar nicht, sie hat gar keinen Bestand.

Was ist nun Unendlichkeit?

Bedingungslose Liebe ist unendlich, wenn sie die gesamte Schöpfung beinhaltet!

Die Zeit ist endlich, die **Zeitlosigkeit** ist unendlich, also eben nicht der Zeit unterworfen. Die Zeit selber umfaßt einen bestimmten Rahmen, so was wie: „In einer Stunde muß ich los!" Mein Leben findet dann in diesem Zeitrahmen statt. Wenn ich ganz viele solcher Zeitrahmen habe, dann empfinde ich nicht mehr die unendliche Zeitlosigkeit, sondern bin in diesem Zeitrahmen gefangen. „In 10 Minuten kommt der Bus, dann fahren wir nach Hause, dann koche ich etwas (die Kartoffeln brauchen 20 Minuten), dann essen wir....Das sind alles zeitliche Rahmenbedingungen, die uns das Gefühl der zeitlichen Abfolge geben, auch wenn nicht direkt eine bestimmte Zeitspanne für eine Handlung vorgesehen ist. Außerhalb eines solchen Zeitrahmens scheint es eine gewisse Leere zu geben, eine gewisse Definitionslosigkeit. Diese gefühlte Definitionslosigkeit wird dann mit allerlei Aktivitäten angefüllt, bis wir mit der Zeit an sich überfordert sind. Das ist der Punkt indem wir die Chance haben die Zeit als künstliches, geistiges Konstrukt zu entlarven.

Die Zeitlosigkeit läßt sich leicht erfahren, wenn wir voll und ganz im Jetzt verweilen, dann geht das Zeitgefühl verloren.

Dualität ist, wie wir gesehen haben, endlich, **Eins-Sein** ist unendlich.

Materie ist immer der Zeit unterworfen und somit endlich. Materie ist nicht nur zeitlich, sondern auch räumlich (durch die vorgegebene Form) beschränkt, **Energie** ist unendlich und weder auf Zeit noch auf Raum beschränkt. Die Energie befindet sich sozusagen im **Jetzt** und in der **Gleichzeitigkeit**. Es gilt auch der Umkehrschluß, ohne Energie kein Raum und keine Zeit. Energie kann nicht verloren gehen, sondern nur umgewandelt werden.

Alles was kreisförmig ist (z.B. immer wieder kehrende Reaktionen, Handlungen), ist endlich, alles was **spiralförmig** ist (z.B. Entwicklung), ist unendlich. Ein Kreis ist in sich geschlossen, eine Spirale nicht.

All-Sein ist unendlich. Man könnte zu der Vermutung gelangen, daß Leere auch unendlich ist, das ist aber keineswegs so. Leere ist nicht existent, denn alles ist durchdrungen von der Lebensenergie ansonsten wäre es nicht existent ☺

150

Das gilt für alle Unterkategorien also auch für Fülle. Die Lebensenergie erschafft oder besser ist die Fülle und nicht der Mangel! Mangel entsteht auch aus einer Beschränkung. Die Schöpfungsenergie oder die Lebensenergie hat nicht nur eine Blume, sondern x-verschiedene, mannigfaltige Blumen erschaffen. So ist es auch mit Tieren usw. Jedes Tier, jede Pflanze, alles was ist, repräsentiert einen Teilaspekt des Ganzen und ist doch untrennbar mit dem Ganzen verbunden.

Die Lebensenergie ist sowohl äußerst **sanft**, als auch **machtvoll**. Die Sanftheit der Lebensenergie zeigt sich darin, daß sie sich nicht aufdrängt. Man kann sie leicht ignorieren und blockieren. Die Macht der Lebensenergie zeigt sich in der gesamten allumfassenden Schöpfung, und in der **Harmonie** der erschaffenden Teilaspekte der Lebensenergie untereinander (also wie die einzelnen Teilaspekte der Schöpfung miteinander harmonieren).

Bewußtheit ist unendlich, Unbewußtheit hat Beschränkungen ist also endlich. Unbewußtheit heißt ja, daß ich mir bestimmten Dingen, bestimmten Gefühlen nicht bewußt bin, also es in meinem Bewußtsein gewisse Grenzen gibt. Bewußtheit bedeutet, daß ich mir meiner Gedanken und Gefühle jederzeit bewußt bin. Ich bin mir bewußt, daß ich mit meinen Gedanken und Gefühlen meine Realität, mein persönliches Weltbild erschaffe. Ich bin mir dessen bewußt, daß ich mit meinen energetischen, seelischen Blockaden (mit meinen Verträgen, Wesenheiten, Flüchen, Dämonen...) auch in anderen Menschen Verhaltensweisen generiere, die mein persönliches Weltbild bestätigen (z.B.: Männer sind faul, Frauen sind dumm, das Leben ist hart). Ich bin mir auch dessen bewußt, daß ich in Andere meine Gefühle hineinprojiziere. Ich bin mir umgekehrt dessen bewußt, daß andere auch Ihre Gefühle in mich hineinprojizieren. Ich kann meine positiven Gedanken und Gefühle unter allen Umständen halten und lasse mich nicht in anderer Leute Gefühls- Erlebniswelt hineinziehen.

Umso mehr wir unsere Gefühle energetisch reinigen, umso mehr persönliche Anschauungen, Filter entfernen wir von unserem Bewußtsein und umso deutlicher erkennen wir die Wahrheit. Man könnte auch sagen, daß durch diese innere Reinigung, die Arbeit an Ihren Gefühlen und Glaubenssätzen, wird sich Ihre Wahrnehmung mehr und mehr zu einem Bewusstsein entwickeln, welches Sie sehr eindeutig die Wahrheit erkennen läßt. Sie gelangen mehr und mehr in Ihren inneren Frieden und dies führt all die Schattenseiten beispielsweise Krieg, sowohl privat in Ihrem direkten Umfeld, als auch im großen Maßstab, ad absurdum.

Das ist wie in dem Märchen: „Des Kaisers neue Kleider". Wenn mir jahrelang eingetrichtert wurde, daß ich gar nicht denken darf, daß der Kaiser nackt ist, daß ich, wenn ich das denke unfähig bin, anders als die anderen Menschen und deswegen auch aus der Gemeinschaft ausgestoßen werde, dann nehme ich nicht richtig wahr, daß der Kaiser nackt ist. Ich werde mir dann einreden, daß das schon in Ordnung ist, wie der Kaiser so in der Öffentlichkeit herumläuft. Das sind genau die Filter, welche die Wahrheit -in diesem Falle die Nacktheit des Kaisers- verbergen. Anstelle der Wahrheit, welche mit dem Gefühl und der Logik vereinbar ist, erhalten wir eine verstandesmäßige Erklärung: „Der Kaiser hat so schöne Kleidung an, die nur ein besonders gebildeter, seines Standes fähiger Mensch erkennen kann." Kommen Ihnen solcherlei Erklärungen (vielleicht nicht ganz so plump wie in dem Märchen) bekannt vor? Pro Tag werden Sie (sowohl im beruflichen als auch im privatem Bereich) mit vielfältigen Erklärungen die Sie nicht wirklich verstehen, abgespeist. Sie wissen, daß Sie diese Erklärungen einfach hinnehmen und nicht hinterfragen sollen. Sie sollen einfach funktionieren und vielfach einfach das machen, was von Ihnen verlangt wird. Sie sollen unser Wirtschafts- und Finanzsystem nicht hinterfragen und womöglich auch noch verstehen wollen. Sie sollen einfach Ihr Geld zu einer der Banken bringen. Ihnen wird eingeredet, daß Sie ein Haus, ein Auto brauchen um glücklich sein zu können. Ist das wirklich so? Fühlen Sie sich wirklich glücklicher, wenn Sie sich verschuldet haben und Ihr Eigenheim nur im Dunkeln nach der Arbeit sehen? Wußten Sie, daß die Bank das Zehnfache des Betrages, den Sie als Kredit aufgenommen haben (um sich vielleicht ein Eigenheim zu finanzieren) quasi aus dem Nichts erschaffen kann? Deswegen möchte die Bank, daß Sie sich ein Häuschen kaufen, und nicht, weil die Bank Sie glücklich machen möchte.

Um solcherlei subtile, psychologische Fallstricke verstehen zu können, sollten wir nicht nur das Göttliche betrachten. Wenn es nichts außerhalb des Göttlichen gibt, was ist dann mit dem **Teufel** als angeblichen Gegenspieler Gottes?

Gott ist die Lebensenergie, die das Leben erschafft. Das Gegenteil von Leben wäre somit etwas was dem Leben entgegensteht, vielleicht sogar zerstört. Gehen wir davon aus, daß Leben nicht nur in Form von Menschen hier auf der Erde existiert, sondern daß Leben Bewußtsein ist, also auch in den Planeten ferner Galaxien wirkt und generell eine Energieform im gesamten Universum ist, dann kann absolut nichts und niemand diese Energie zerstören. Wenn ich als einzelner Mensch auf der Erde lebend, an Zerstörung des Lebens glaube, dann gebe ich mich einer Illusion hin. Es wäre allerdings möglich meinen Heimatplaneten und somit auch alles was darauf zu diesem Zeitpunkt lebt, zerstören zu wollen. Dies wäre möglich und, wenn wir uns den derzeitigen Zustand der Erde einmal anschauen, auch nicht sonderlich überraschend. Dennoch, nicht nur, daß ein solcher Prozess des Zerstörens mehrere Tausend Jahre der teils akribischen Planung bedarf, dies ginge auch nur, wenn ein Großteil der Lebensformen auf der Erde und natürlich der Planet Erde an sich, der totalen Zerstörung zustimmten. Das kann natürlich auch auf unbewusste Weise geschehen. Es handelt sich hierbei um eine gefühlsmäßige Zustimmung. Wenn wir uns anschauen, daß es Menschen gibt, die den Erwerb bunter Scheinchen (Geld) für wichtiger erachten, als das Wohlergehen der Natur oder unseres Planeten, dann ist dieses ein Ausdruck dafür, daß ihnen eine **Zerstörung** schlichtweg egal wäre.

Wie wir gesehen haben, kann man durchaus einen ganzen Planeten zerstören. Man kann auch in noch kleinerem Maßstab dem Leben entgegenwirken. Beispielsweise kann ich auf einen Käfer treten, oder generell einem Tier die Lebensgrundlage entziehen, so daß es leidet. Wenn ich beispielsweise ein Tier oder gar die gesamte Erde töte, dann töte ich nicht die Lebensenergie die diesem Tier oder der Erde innewohnt. Diese Lebensenergie wird in einer anderen Form wiedergeboren werden. Wenn ich einer Lebensform die Lebensgrundlage entziehe, so daß diese leidet, dann ist dies zwar ein direkter Akt gegen das Leben, aber auch hier gilt, daß ich bei absolut jedem Eingriff gegen das Leben einerseits immer zumindest indirekt die **Zustimmung des Opfers** benötige und andererseits immer mit meiner Handlung als Täter in irgendeiner Weise konfrontiert werde. Wenn eine Lebensform in irgendeiner Weise unter meiner Handlung leidet, dann wird sich dies bemerkbar machen. Letztlich macht es sich instantan bemerkbar. Ich als Leben versuche dem Leben entgegenzuwirken, daß schadet natürlich wiederum meiner Lebensenergie. Versuchen Sie doch „einfach" einmal ein Tier zu schlachten. Vielleicht eines was Sie schon länger kennen, zu welchem Sie eine Beziehung haben. Alleine bei der Vorstellung der Handlung bekommen viele das Grausen. Dieses Gefühl ist genau das was Ihrer Lebensenergie entgegenwirkt.

Der Teufel wirkt also dem Leben entgegen und erzeugt somit **Leid**. Seine Absicht ist nicht die Zerstörung. Nur die Zerstörung folgt aus seinem Handeln und wird auch in Kauf genommen, wird ignoriert.

Grundsätzlich gibt es eigentlich nichts, was auf die Lebensenergie zerstörerisch wirken könnte. Dennoch ist es möglich innerhalb einer Illusion so viel Leid zu erzeugen, daß dies einen starken negativen Einfluß auf die jeweilige Lebensenergie hätte. Um dies verstehen zu können schauen wir uns das Teuflische einmal genauer an.

Das Teuflische ist **verführerisch, schillernd, glitzernd, anziehend, attraktiv**. Für den Unbewußten geht von dem Teuflischen ein gewisser Zauber, etwas Magisches aus. Es reizt die Sinne. Es erzeugt Emotionen (Achterbaneffekt z.B. bei einem Fußballspiel). Durch die Erzeugung dieser Emotionen verliert man viel Energie ohne etwas erschaffen zu haben. Nach so einer Veranstaltung ist man ausgelaugt.

Der Teufel verspricht ein Hochgefühl in einem kurzen zeitlichen Rahmen. Er verschweigt die Katerstimmung bei Abebben des Hochgefühls.

Grundsätzlich hat man den Eindruck das Teuflische stehe dem Leben näher als das Göttliche. Man vergißt dabei, daß durch das Teuflische **Abhängigkeiten** entstehen. Es gibt viele teuflische Dinge, beispielsweise ist Zucker teuflisch. Zucker ist speziell als Zutat in jeder Form von Süßigkeiten äußerst lecker und aus unserem Leben gar nicht so richtig wegzudenken, aber andererseits verlangt Zucker nach mehr. Wir haben heute einen wesentlich höheren pro Kopf Verbrauch an Zucker, als die Generation unserer Eltern oder Großeltern. Zucker wirkt zerstörerisch. Er entzieht dem Körper lebenswichtige Nährstoffe (steht dem Leben also entgegen), dadurch verursacht er Karies und andere Zivilisationskrankheiten.

Der Teufel ist **laut, schrill, aufdringlich**. Er braucht die **Illusion** und eine Art Werbung, er muß gesehen werden. Er erschafft **Bedürfnisse**, die vorher gar nicht da waren. Dazu erzeugt er in seinem Wirkkreis eine ständige, möglichst zunehmende, Unzufriedenheit. Er verspricht durch eine Maßnahme oder ein Produkt Zufriedenheit. Man verfällt dem Teufel nur, wenn man die Illusion, die er erschaffen hat, glaubt. Dieser Glaube kann nur aus einer Freiwilligkeit heraus entstehen. Es muß eine gewisse Wahl oder Entscheidung getroffen werden, die ein freiwilliges Abtauchen in die Unbewußtheit beinhaltet. Befindet man sich in der Illusion, die man sich freiwillig zu Eigen gemacht hat, dann meint man ohne Diesem oder Jenem nicht mehr leben zu können. Wenn der Reiz des Einen verblasst, dann muß ein neuer Reiz her. Demnach braucht der Teufel Veränderung, die zeitliche Abfolge von Reizen und Stimulanzien. Er lebt also stark in der Zeit. Außerhalb der Zeit existiert er nicht!

Das Leben ist leise und sanft, fast nicht merklich, überall präsent. Es IST es braucht nichts, es ist sich selbst genüge. Es erschafft aus sich heraus, es braucht kein Publikum, nichts außerhalb des Lebens stehendes. Innerhalb der 3D-Welt braucht es den Teufel, die Verführung, andernfalls wäre die 3D-Welt unsinnig. Der Teufel ist Teil der Illusion er existiert nicht außerhalb der Illusion! Gott existiert außerhalb der Illusion und die 3D-Welt ist die Wirkung Gottes im Zusammenspiel mit dem Teufel.

Das primäre Anliegen des Teufels ist **Macht, Einfluß, Verführung**. Er lebt von den Energien, die bei Emotionen freigesetzt werden. Das ist einfach zu verstehen. Nehmen wir an, ich möchte etwas verkaufen. Egal, was dieses Produkt sein mag, ich werde es am Besten verkaufen, wenn meine Kunden eine mit diesem Produkt positive Emotion verbinden. Da ich von dem Erlös des verkauften Produktes lebe, und dieses Produkt sich am Besten verkauft, wenn ich bei meinen Kunden gewisse Emotionen erzeuge, ist es gleichbedeutend zu sagen, daß ich von den Emotionen der Kunden lebe. Sobald irgendwelche Emotionen erzeugt werden, ist es immer ein teuflisches Spiel. Der Verkauf von beispielsweise Gemüse erfordert weder Werbung, noch haben Sie irgendwelche Emotionen beim Kauf des Gemüses. Beim Kauf eines neuen Autos oder eines neues Kleides spielen Emotionen aber sehr wohl eine Rolle. Etwas was Sie wirklich brauchen erzeugt also keine Emotionen.

Betrachten wir hierzu noch die erzeugten Emotionen von Veranstaltungen z.B. Kinofilmen oder Fußballspielen. Hier werden massenhaft starke Emotionen erzeugt, die wiederum Millionen in die Kassen der Veranstalter spielen. Des Weiteren handelt es sich bei einigen Veranstaltungen, so auch bei einem Fußballspiel um ein Ritual, welches dazu benutzt wird, um mit den erzeugten Emotionen bestimmte Ziele der im Hintergrund agierenden zu verankern. Wir haben im Kapitel 11 bereits gesehen wie wir Rituale verwenden können um beispielsweise ein bestimmtes Ereignis entweder anzuziehen oder um ein Ereignis nach unseren Wünschen zu gestalten. Dies lässt sich natürlich auch negativ also gegen jemanden gerichtet verwenden. Wenn so ein Ritual gegen den freien Willen von jemanden verwendet wird, dann wäre so ein Ritual schwarzmagisch oder teuflisch. Nun liegt es aber in der Natur der Dinge, daß wenn ich beispielweise gegen Sie gerichtet ein Ritual ausüben möchte, wobei das Resultat des Rituals Ihnen auch noch schadet, Sie von meinem Vorhaben sicherlich nicht begeistert wären. Zusätzlich würden Sie versuchen mich an der Ausübung des Rituals zu hindern. Ich könnte es mit Ihrem Wissen also schlichtweg nicht ausüben. Wenn ich es dennoch heimlich ausübe, dann werde ich nicht die von mir erhofften Emotionen von Ihnen erhalten. Der einzige Ausweg scheint hier der zu sein, daß ich das geplante Ritual völlig offen, vielleicht sogar mit Ihrer Mithilfe, aber dennoch ohne Ihr Wissen über die Wirkung solcher Rituale gestalten müßte. Ich brauche für die Ausübung des Rituals Ihre Freiwilligkeit, Ihre Zustimmung, werde Ihnen dann aber verschweigen, daß es negative Auswirkungen hat. Nur wenn ich also das Ritual offen, aber ohne Ihr Wissen von der Wirkung von Ritualen vollziehe, habe ich eine Chance Ihre Energie, die Sie in Form von Emotionen verlieren, anzuzapfen. Diese Energie könnte ich dann verwenden, um Sie einerseits zu schwächen und andererseits um bestimmte Ziele zu erreichen. Um bei diesem Beispiel zu bleiben, werde ich umso mehr Energie in Form von Emotionen bekommen, umso mehr Menschen an einem Ritual beteiligt sind. Dies ist genau das was im großen Stil vor unseren Augen abläuft. Alle machen mit und betreiben das Megaritual z.B. als Volkssport. Sie wissen nicht, daß ihr Sport (z.B. Fußball, aber auch bei den Olympiaden gibt es mengenweise Rituale zu beobachten) ein Ritual ist, und ihre Energie zweckentfremdet wird.

Wir durchlaufen heute alle eine **Indoktrinierung**, die bereits im frühen Kleinkindalter in Form von Kindergarten und Schulbildung stattfindet. Hier lernen wir wie wir die Welt zu sehen (wahrzunehmen) und zu verstehen haben. Abweichler lernen sich anzupassen und die Meinung der Lehrer, der überlieferten Allgemeinheit zu übernehmen. Wir lernen die Welt in einer bestimmten Weise aus einem sehr eingeschränkten Blickwinkel heraus zu betrachten. Nur auf der körperlichen und mentalen Ebene ist dieses Weltbild überhaupt erklärbar und haltbar. Auf der mentalen Ebene erscheint uns dieses Weltbild zwar nicht schlüssig, dennoch aber zumindest erklärbar. Mental kann auf alles eine Antwort gegeben werden, auch wenn diese noch so abstrus ist. Wir haben gelernt jede Art von mentaler Antwort zu schlucken. Selbst wenn wir mit einer gegebenen Antwort nicht zufrieden sind, glauben wir einfach, daß es irgendwo einen Experten gibt, der auf die eine oder andere Frage eine schlüssige Antwort weiß. Dies ist aber eine Illusion. Innerhalb dieses Weltbildes, kann es keine eindeutige oder wirklich schlüssige Antwort auf beispielsweise die Frage: „Was passiert eigentlich nach dem Tod" geben. Eine Frage dieser Art berührt den energetischen Bereich und wird in unseren Breitengraden einfach mit einer sehr abstrusen Antwort aus der Sphäre der Religionen abgetan. Haben Sie sich schon einmal überlegt, dass dies möglicherweise Absicht ist und somit ein bestimmtes Ziel verfolgt? Wenn Millionen, vielleicht sogar Milliarden von Menschen nicht über die energetischen Vorgänge bescheid wissen, dann sind sie viel leichter manipulierbar. Man kann ihnen dann beispielsweise erzählen, daß, wenn sie Zeit ihres Lebens gesündigt haben, nach dem körperlichen Ableben die Hölle auf sie wartet. Das Thema Schuld spielt in der Religion eine entscheidende Rolle. Schuld verhindert nicht nur ein „über sich hinaus wachsen", sondern ermöglicht auch den Ablasshandel. Wie wir wissen kann man sich ja laut Kirche von seinen Sünden in Form einer „kleinen" Spende frei kaufen.

Der Gedanke des Ablasshandels bringt mich direkt darauf, daß Menschen ihre Seele, letztlich ihr wahres Ich, ihre Bestimmung an den Teufel verkaufen. Dies kann man beispielsweise besonders gut im **Showbusiness** sehen. Hier wird für die Aussicht auf viel Geld, auf Ruhm letztlich auf die Beachtung und Anerkennung so gut wie alles in Kauf genommen. Im Showbusiness wird bewußt mit der Manipulation der Seelen „gespielt". Hier werden durch Rituale mit und an dem Darsteller Energien heruntergeladen, die letztlich so ziemlich alles an Begabungen bewirken können. Begabungen in Form von Spielen irgendwelcher Instrumente, besondere Stimmvariationen usw. Bei Schauspielern werden je nach Rolle Energien herunter geladen, die eine Verkörperung der jeweiligen Rolle echt erscheinen lassen. Diese Art von Energien, die man zum Zweck des Ruhmes und des Reichtums herunterlädt, erwarten immer einen Preis. Nicht nur, daß das Leben im Showbusiness einen hohen Tribut an die körperliche Verfassung stellt (hier wird speziell vor Auftritten oft mit Drogen nachgeholfen), der viel größere Preis ist eher unsichtbarer, energetischer Natur. Nach einem solchen Leben der Berühmtheit (also quasi der 3D Unsterblichkeit) bekommt die energetische Wesenheit, die dem Darsteller dazu verholfen hat, Teile des Bewußtseins des Darstellers. Somit muß der ehemalige Darsteller im darauffolgendem Leben die Lebensspirale um einiges tiefer (beispielsweise als Pflanze oder Tier) bestreiten.

Hier bleibt noch zu erwähnen, daß das Showbusiness dazu angelegt ist um die Massen mit teils subtilen Botschaften durch Liedtexte, Videos usw. zu Verhaltensweisen zu verführen, die gegen das Gefühl, gegen das Leben gerichtet sind.

Im griechischen wird der Teufel mit Diabolos bezeichnet, welches „der Verleumder, der Durcheinanderwerfer, der Verwirrer" bedeutet. Man könnte also sagen, der Teufel ist alles was der reinen Logik, der Wahrheit widerspricht, eine verdrehte Wahrheit. Der Teufel ist etwas was Unordnung bringt und somit Dingen einen falschen Platz zuweist. Das Teuflische ist alles was widernatürlich/künstlich ist.

Letztlich gibt es keinen personifizierten Teufel, sondern die künstlich erzeugten Dinge, wie z.B. Geld, sind teuflisch und nähren das teuflische Prinzip, welches dem göttlichen Prinzip, dem Leben entgegensteht aber aus dem Göttlichen entstanden ist.

Im Übrigen wird es nicht von Erfolg beschieden sein gegen die vom Teufel erschaffene Illusion anzukämpfen. Das wäre genauso als ob ich gegen den Konsum von Zucker ankämpfe. Der Teufel braucht zur Aufrechterhaltung seiner Illusion viele Mitspieler. Spielen Sie einfach nicht mehr mit, verlassen Sie die Bühne der Illusion, geben Sie Energie in die Erschaffung Ihrer Welt.

Ich denke selbst der Teufel ist bedingungslos liebend, deshalb wird er ja auch vielfach als ein gefallener Engel dargestellt. Er wird gebraucht, er ist erschaffen aus dem Bedürfnis etwas Bestimmtes erfahren zu wollen. Wie wir bereits wissen gibt es immer alle Möglichkeiten, somit auch die Möglichkeit Krieg zu erfahren. Daraus folgt, wenn ich Krieg erfahren möchte, dann findet sich jemand, der mir das anbietet, der mir den Rahmen, die Möglichkeit bietet Krieg zu erfahren. Wir sind also aufgerufen in uns zu schauen, welche Erfahrungen wir noch machen möchten. Diese Erfahrungen leben in uns und möchten sich ausdrücken, auch wenn uns dies nicht bewusst ist! Wählen Sie bewußt lebensbejahende Erfahrungen.

Der Teufel als Gegenspieler Gottes, der Lebensenergie, des Bewußtseins. Der Teufel stellt ein **Prinzip** dar. Als solches tritt der Teufel nie direkt in Aktion. Wenn ich meine Lebensenergie durch energetische Blockaden immer weiter einschränke, dann werde ich immer mehr zu einem Gehilfen dieses Prinzips, welche der Lebensenergie entgegen wirkt, also einem Gehilfen des Teufels. Wenn ich meine Lebensenergie immer weiter einschränke, dann habe ich immer weniger Bewußtsein für mein Gefühl. Das geht soweit, daß ich so gut wie nichts mehr dabei empfinde, wenn ich beispielsweise jemanden umbringen würde. Wenn man dies tut, nährt man das teuflische Prinzip. Im Gegenzuge erhält man ein Gefühl der Macht. Dies ist nicht weiter erstaunlich, da dieses Machtgefühl daraus resultiert, daß, wenn ich beispielsweise jemanden umbringe, das Gefühl habe ich entscheide zwischen Leben und Tod, und dies erzeugt ein Gefühl der Macht. Jemanden der mir nicht paßt kann ich einfach aus dem Weg räumen. Befindet man sich einmal auf diesem Weg dem Teufel zu dienen, also das Prinzip durch derartige Handlungen zu nähren, dann ist man abhängig von diesem Machtgefühl, man ist süchtig danach. Will man es zu irgendeinem Zeitpunkt nicht mehr nähren, dann empfindet man zum Einen dieses Machtgefühl nicht mehr, und zum Anderen ist man wieder mehr und mehr mit seinem Gefühl verbunden, wobei man dann feststellt, daß man ein Teil des Lebens ist und somit auch mehr und mehr Reue für die eigenen Taten entwickeln würde. Dies stellt quasi die „Katerstimmung" danach dar und ist beliebig unangenehm, so daß derjenige oft fast nicht anders kann, als das Prinzip „Teufel" wieder erneut zu nähren und ihm dienen zu wollen, um somit zu diesem erhabenen Machtgefühl wieder zurück zu finden. Somit gerät derjenige immer tiefer und tiefer in diese Abwärtsspirale hinein und scheint dadurch fast verloren zu sein. Für das Bewußtsein ist es auch so, man bewegt sich von Leben zu Leben durch die Ebenen von immer weniger Bewußtsein, bis man schließlich bei sehr geringem Bewußtsein, beispielsweise das einer Pflanze oder eines Steines angekommen ist und nun sämtliche Ebenen des Bewußtseins durch Erfahrungen wieder neu beschreiten müßte. Auf dem Weg nach unten, kann derjenige natürlich jederzeit die Notbremse ziehen und sich energetisch reinigen. Dies wäre dann aber ein beliebig schwieriger Weg, der auch nicht mit diesem Machtgefühl verbunden ist. Es ist eben einfacher zu zerstören und dabei auch noch beliebig viele materielle Güter anzuhäufen, als der Weg sich seiner eigenen Gefühle bewußt zu werden.

Das Prinzip „Teufel" muß es aus logischen Gründen geben. Zum Einen natürlich schon einmal aus dem Grund, daß Gott absolut **alle** Möglichkeiten beinhaltet, somit beinhaltet Gott als allumfassendes Bewußtsein auch die Möglichkeit des Prinzips der Zerstörung, also des Teufels. Das teuflische Prinzip ist aus dem Göttlichen entstanden. Das ist wie schlau und dumm. Wenn ich dumm bin, kann ich nicht schlau sein, wenn ich aber schlau bin, dann kann ich mich auch dumm stellen. Das Schlau-Sein beinhaltet das Dumm-Sein, genauso wie das Göttliche Prinzip das teuflische Prinzip beinhaltet. Im Göttlichen liegt also die **Freiheit**, nicht im Teuflischen.

Das teuflische Prinzip steht nicht außerhalb des Lebens, es findet auch kein Kampf zwischen dem göttlichen und dem teuflischen Prinzipien statt. Dieses Dualitätsprinzip ist ein künstliches Gedankenkonstrukt. Die Wahrheit ist, daß es beliebig viele Abstufungen zwischen 100% Leben und 100% Blockaden oder Zerstörung gibt. Zumal (wie schon weiter oben beschrieben) es die 100% Blockaden gar nicht gibt, dies wäre demnach ohne Lebensenergie und somit nicht existent.

Im Grunde genommen ist es ganz einfach, entweder man hört auf seine innere Stimme (auf sein Gefühl) oder man hört auf sein Ego (auf irgendeine Einflüsterung). Das Ego verspricht Geld, Macht, irgendeinen scheinbaren Vorteil, nur für einen selbst. Die innere Stimme bedeutet einem nur, daß es nicht richtig wäre auf das Ego zu hören. Die innere Stimme verspricht weder ein besseres Leben, noch Glückseligkeit, geschweige denn Macht oder andere weltliche Errungenschaften. Die innere Stimme zeigt immer einen Weg auf, in dem (im Konflikt-Falle) beide Seiten als Gewinner hervorgehen. Geht man diesen Weg, so gewinnt man an Stärke, Selbstbewußtsein und an bedingungsloser Liebe (durch all dies ist man in der Glückseligkeit). Umso öfter man auf seine innere Stimme (auf seine Anbindung zu Gott) hört, umso lauter und deutlicher wird diese, und umso sicherer wird man in seinen Entscheidungen, man kommt also mehr und mehr in die Selbstverantwortung. Dieses Gefühl der Stärke allen Vorkommnissen im Leben gewachsen zu sein, kann einem im Grunde genommen niemand mehr nehmen (es sei denn man entscheidet dies bewußt). Weltliche Güter lassen sich hingegen durch Enteignung, Diebstahl, Inflation leicht nehmen. Diese andere Entscheidung gegen das Gefühl, für das Ego ist genau die Entscheidung gegen das Bewußtsein, gegen das Leben also gegen das Göttliche und stellt somit eine Entscheidung für den Teufel dar. Diese Variante muß es aber geben, sonst wären Erfahrungen in der 3D-Welt unsinnig. Man könnte keinerlei Erfahrungen in der 3D-Welt machen, wenn man sich letztlich nur für eine Herangehensweise, für das Gefühl entscheiden könnte. Diese gegenteiligen Erfahrungen sind aber genau der Grund, warum wir überhaupt in 3D inkarniert sind. Diese Erfahrungen ermöglichen uns zu erkennen, daß wir zwar einen kurzfristigen scheinbar positiven Effekt erzielen, wenn wir auf unser Ego hören, uns aber mit dieser Methode über längere Sicht ein beschwerliches Leben von Inkarnation zu Inkarnation erwartet. Diese Einsicht ist es genau, die uns reifen und uns erkennen läßt, daß wir gar nicht von unserer inneren Stimme oder unserem Gefühl getrennt sind, sondern, daß wir und unser Gefühl identisch sind und das wir somit, wenn wir gegen unser

Gefühl handeln nicht nur gegen andere, gegen das Leben, sondern immer auch gegen uns selbst agieren.

Zusammenfassung:

Wir sind jetzt also in der Lage das göttliche und das teuflische Prinzip zu erkennen und deutlich voneinander zu unterscheiden. Wir wissen wann wir eher auf unser Ego, und wann wir eher auf göttliche Aspekte in uns hören, wodurch wir entweder das eine, oder das andere nähren und durch welche Handlungen wir dies zum Ausdruck bringen. Hier gilt es vergangene und bestehende Verwicklungen mit dem teuflischen Prinzip zu lösen und sich bewußt für ein Leben in und mit dem Göttlichen zu entscheiden.

Wenn wir nun den Blick von uns selbst auf die äußere Welt werfen, dann gilt auch hier zuerst zu erkennen wo und wie das teuflische Prinzip genährt wird und dann ebenso sich bewußt zu entscheiden in welche Art Projekte man nun seine Energie hinein gibt.

Nun betrachten wir noch einmal die von uns erschaffene Welt etwas genauer und schauen, ob wir eher dem Leben, den Gefühlen, den göttlichen Aspekten unsere Aufmerksamkeit schenken, oder nach dem teuflischen Prinzip leben. Das Thema Macht spielt hier die alles entscheidende Rolle, denn das teuflische Prinzip und all seine Helfer wollen unsere Energie, man könnte auch sagen unser Bewußtsein. Und um dies zu erhalten muß Macht ausgeübt und erhalten werden.

16. Die Welt in der wir leben

Wir leben in einer Welt, in der Gefühle offensichtlich keine oder eine untergeordnete Rolle spielen. Wir wissen nicht nur aus der Quantenphysik, daß die Grundlage für das gesamte Universum, für das Leben Schwingungen sind. Das vorliegende Buch zeigt auf, daß Schwingungen Gefühle sind und wie sich durch Reinigung und Aufmerksamkeit der Gefühle gegenüber, die Welt zu einem Ort der Liebe und Freude verwandeln läßt.

In diesem Kapitel möchte ich nun einmal einen Blick auf die Frage werfen, warum in unserer Gesellschaft den Gefühlen so wenig Beachtung geschenkt wird.

Hierzu schauen wir uns das **Thema Macht** einmal genauer an.

In einer Gesellschaft in der alle Mitglieder eigenverantwortlich sind, braucht es letztlich niemanden, der von ganz oben Macht über die anderen ausübt.

Macht ist im besten Falle eine Lenkung. Aber selbst eine Lenkung im positivsten Sinne ist durchaus nicht unbedingt von Vorteil. Betrachten wir hierzu beispielsweise die Erziehung von Kindern, so sieht man sehr schön, daß eine liebevolle, fürsorgliche Lenkung in diesem Falle durchaus sinnvoll ist. Wenn allerdings eine Lenkung als Beeinflußung, oder gar als Eingriff verstanden wird, dann kann sich das Kind nicht genügend entfalten und Erfahrungen, die für die Seele des heranwachsenden Menschen wichtig sind, bleiben möglicherweise verschlossen. Eine sinnvolle Lenkung sollte bei der Erziehung das Verständnis, die Einsicht für ein sinnvolles, logisches Verhalten, des Kindes zum Ziel haben. Alles was darüber hinaus geht wäre also ein Eingriff. Eine wohlmeinende Lenkung wäre demnach eher eine Schulung der Aufmerksamkeit oder fast noch besser gesagt eine Hilfe bei der Bewußtwerdung des Kindes.

Verlassen wir nun das Beispiel der Kindererziehung und betrachten die generelle Machtausübung, so sehen wir, daß diese wohlmeinende Lenkung eine bedingungslose Liebe des Machtausübenden gegenüber den Untergebenen voraussetzt. Diese bedingungslose Liebe sucht in der Führungsposition keinen Vorteil, die Aufgabe der Führung ist also völlig selbstlos. Diese bedingungslose Liebe mag bei Eltern, die ein Kind erziehen durchaus vorhanden sein, bei Firmenchefs, oder gar bei Politikern kommen mir da allerdings berechtigte Zweifel. Früher war beispielsweise das Amt des Bürgermeisters ehrenamtlich. Heutzutage ist das Amt eines Bürgermeisters oder eines anderen Politikers mit immensen finanziellen Zuwendungen verbunden. Diese Tatsache an sich zieht schon einmal Menschen an, die eher die finanziellen Aspekte des Amtes als die Berufung zur hingebungsvollen, selbstlosen Führung suchen. Macht wäre also nur in Verbindung mit bedingungsloser Liebe von Vorteil für die Untergebenen.

Obwohl sich auch hierbei die Frage aufdrängt, warum die Untergebenen nicht die Kraft und Stärke aus sich selbst heraus aufbringen und leben können um **eigenverantwortlich** im Sinne der Schöpfung zu handeln. Warum also unterwerfen wir uns oftmals bestimmten Machtstrukturen oder Führungspersönlichkeiten?

Um diese Frage zu klären, sollten wir unseren Blick auf größere Zeiträume richten und die Reinkarnation mit in Betracht ziehen. Wir haben uns ursprünglich nicht freiwillig der Macht der Religion oder des Staates unterworfen. Hierzu brauchen wir uns beim Christentum nur der Inquisition oder der Eucharistie zu erinnern. In den Anfängen des Christentums wurden Andersgläubige mit dem Tode bestraft dies ist auch heute noch im Islam keine Seltenheit.

Nach all den Jahrhunderten der Verfolgung und Missionarisierung durch Religionen, befinden wir uns nun in einem tiefen Gefühl der Resignation und Machtlosigkeit. Wir glauben nicht mehr an unsere einstige Selbstverantwortung und Stärke. Wir glauben, daß wir eigene sinnvolle Entscheidungen über unser Leben nicht treffen können und somit der äußeren Führung bedürfen. Wir haben uns einreden lassen, daß die Abgabe unserer eigenen selbstverantwortlichen Macht an Andere zu unserem Vorteil sei, weil diese uns beispielsweise einen gewissen Schutz verspricht.

So glauben wir, daß wir durch eine übergeordnete Instanz vor der möglicherweise vorhandenen böswilligen Absicht z.B. vor eventuellen Übergriffen, unserer Mitmenschen geschützt sind. Dennoch, diese übergeordnete Instanz beispielsweise in Form einer Polizei kann erst

nach einer Tat eingreifen, schützen kann sie uns nicht. Und wir wissen, daß die Androhung von Strafe keine Straftaten verhindern kann. Es scheint oft das Gegenteil der Fall zu sein. In US-amerikanischen Staaten wo beispielsweise auf Mord die Todesstrafe verhängt wird, ist die Kriminalitätsrate teilweise deutlich höher, als in US-amerikanischen Staaten, wo es keine Todesstrafe gibt.

Schutz läßt sich eben nicht von außen durch irgendwelche Maßnahmen erzeugen. Sich geschützt fühlen ist eben ein Gefühl und dieses Gefühl läßt sich nur erzeugen, indem man das Gefühl der Schutzlosigkeit beleuchtet und gegebenenfalls nach der oben beschriebenen Methode entfernt. Übrig bleibt ein Gefühl der Sicherheit, ganz ohne militärische, politische oder sonstige Instanzen.

Sobald wir unsere eigene Macht abgeben, verstricken wir uns in Abhängigkeiten. Umso länger dieser Zustand der Abhängigkeit anhält, umso weiter sind wir von unserer Kraft und Stärke entfernt und unterstützen weiterhin mit einem immensen energetischen Aufwand diese krankmachenden Machtstrukturen. Beispielsweise ist unser **Geldsystem** Ausdruck und Mittel der Macht. Daß, mit der Aufhebung des Goldstandards (Bretton-Woods 1944) Geld an sich keinen Wert mehr besitzt, sollte sich mittlerweile herumgesprochen haben. Dennoch wird nicht einmal davor zurückgeschreckt für ein paar bedruckte bunte Scheinchen jemanden umzubringen (ganz zu schweigen von den vielen Kriegen, die auf der Erde toben). Wir glauben, Geld sei ein praktisches Tauschmittel. Wenn ich also beispielsweise Gemüsehändler bin und ein Brot vom Bäcker haben möchte, dann brauche ich nicht mit einem Korb Gemüse zum Bäcker zu gehen und damit das Brot einzutauschen, sondern ich kann mit wenigen Münzen oder Scheinen das gewünschte Brot erwerben. Ein Autohändler der ein Brot erwerben möchte hätte sicher noch größere Schwierigkeiten seine Autoteile beim täglichen Einkauf zu transportieren.

Ein völlig anderes Konzept können wir beispielsweise in einer Familie beobachten. Innerhalb der Familie wird gewöhnlich beispielsweise für Arbeiten im gemeinsamen Haushalt kein Geld getauscht. Wenn die Frau die Fenster putzt wird sie dafür nicht mit Geld entlohnt, welches sie dann beim Abendessen vorlegen muß um auch eine Scheibe Brot abzubekommen. Es wird innerhalb der Familie einfach alles bereitgestellt was benötigt wird. Wenn ein Familienmitglied sieht, daß die Fenster schmutzig sind, oder das Bad gesäubert werden muß, dann werden diese Arbeiten einfach erledigt, man könnte sagen, daß man dafür einen Platz innerhalb der Familie erhält und eben für die Pflichten auch gewisse Rechte erwirbt. Wenn ein erwachsenes, vollwertiges, gesundes Mitglied der Familie innerhalb der Gemeinschaft partout gar nichts macht und zu nichts zu gebrauchen ist, dann wird dieser durchaus aus der Gemeinschaft ausgeschlossen, beispielsweise in Form einer Scheidung. Dieses Bereitstellen der Aufgaben und Mittel innerhalb einer Gemeinschaft können wir uns durchaus auch in einem größeren komplexeren Maßstab z.B. innerhalb einer Dorfgemeinschaft vorstellen. Alle Mitglieder der Dorfgemeinschaft stellen das zur Verfügung was ihren Fähigkeiten entspricht und sind im Gegenzuge auch Nutznießer der Fähigkeiten der anderen.

Geld ist als Tauschmittel zwar ganz interessant aber nicht notwendig, zumal der Tauschwert ja keineswegs stabil ist. Meine heutige Arbeit ist morgen durch den Verfall des Geldes weniger Wert. Nehmen wir nochmals eine Familie als Beispiel, so ist in dieser Gemeinschaft in der alles bereitgestellt wird was gebraucht wird, die Tätigkeit der einzelnen Mitglieder stets von gleichbleibendem Wert. Heute muß eben genauso gekocht und abgewaschen werden wie morgen. Vielleicht erfordert diese Art der Gemeinschaft eine höhere Form der Flexibilität (jedes Mitglied der Gemeinschaft vollzieht durchaus unterschiedliche Tätigkeiten) und des Miteinanders.

Dennoch, einen entscheidenden Vorteil bietet das Geld. Für die Machthaber hat Geld den Vorteil, daß die Angehörigen der Gemeinschaft, also des Staates, mit Geld und eben nicht mit den produzierten Gütern, ihre Steuern bezahlen. Mithilfe des Geldes läßt sich viel leichter das was überhaupt produziert wird lenken. Mit Subventionen lassen sich durchaus beispielsweise umweltschädliche Projekte (z.B. Atomkraftwerke, Diesel-Autos, Gen-Manipulation) unterstützen. Mit Geld können Lehrer für eine systemkonforme Lehre und Journalisten für systemkonforme Artikel bezahlt werden. Generell läßt sich mit Geld ein gesamter Beamten- und Verwaltungsapparat bezahlen, der in vielerlei Fällen teils sinnlose Arbeiten ausführt. Mit Geld ist der **Korruption** Tür und Tor geöffnet.

Der Anfang der Steuererhebung war so gestaltet, daß ein Zehntel der produzierten Güter vom damaligen Macht-/Staatsapparat eingenommen wurde. So hatte ein Bauer beispielsweise ein Zehntel des geernteten Getreides abzugeben. Das Land gehörte denen die es bewirtschafteten. Heute ist die Steuer nicht nur um ein Vielfaches höher, heute besitzen die Banken den Grund und Boden. Das kann man daran erkennen, wie Banken Teile von Griechenland aufgekauft haben, aber auch in Deutschland besitzen Banken beispielsweise bereits 75% des Landes Hessen.

Geld erschafft also **Abhängigkeiten**. Wir sind dadurch, daß wir beispielsweise auch Lebensmittel mit Geld bezahlen müssen, von einem regelmäßigen Einkommen abhängig. Wir müssen arbeiten (dem jeweiligen System der Machthabenden dienen), ob die Arbeit uns erfüllt, sinnvoll ist oder ob die Arbeit in einem regelrechten „Absitzen" im Büro (letztlich in einem bezahlten Nicht-arbeiten) ausartet ist egal, Hauptsache wir bekommen durch das was wir tun Geld.

Abgesehen vom Erschaffen von Abhängigkeiten beispielsweise durch ein Geldsystem, gibt es durchaus noch mehr Mittel der Macht. Hierbei wäre das Erzeugen von Schuld zu nennen. In der christlichen Religion entsteht **Schuld** schon allein durch die Erbsünde (also schon einmal prophylaktisch (also vor einer Handlung) dadurch, daß man existiert) und quasi durch jede antichristliche Handlung. In der Politik wird gerne eine Kollektivschuld auf ganze Völker oder ethnische Gruppen verhängt.

Schuld zeigt immer genau zwei Möglichkeiten auf: „Wenn Du nicht willst, daß pro Tag tausende Menschen an Hunger sterben, dann unterstützt Du besser die Genmanipulation." Schuld versucht also durch Einreden eines schlechten Gewissens eine bestimmte Handlung zu erzwingen.

Auch das Erzeugen von **Angst** spielt in der Machtausübung eine große Rolle. Die Angst vor der Hölle, die Angst als Nazi abgestempelt zu werden nur weil wir unsere Meinung sagen, die Angst die Arbeit zu verlieren und viele Ängste mehr, lassen uns in eine handlungsunfähige Starre verfallen. In dieser sind wir dann kollektiv leichter lenkbar.

Das Prinzip der Machtausübung durch Angst ist einfach, daß Angst einen vortrefflichen Gegenpol zu dem darstellt, was ich als Machtausübender bezwecke, beispielsweise: „Wenn Du dieses oder jenes tust, was das Gegenteil von dem ist, was ich von Dir erwarte, dann kommst Du in die Hölle " oder: „Wenn Du das sagst, dann bist Du ein Nazi und das willst Du ja wohl nicht sein, oder?"

Desweitern ist hier noch die **Erzeugung von Grüppchen** und das **Einräumen von Mehr-Rechten für Minoritäten** zu erwähnen. Grundsätzlich werden Gruppen erzeugt um zu Spalten. Jede einzelne kleine Gruppe ist nun viel leichter manipulierbar und die unterschiedlichen Gruppen können gegeneinander aufgewiegelt werden.

Durch das Erzeugen von Grüppchen entsteht bei jedem Einzelnen als Individuum das Gefühl keiner der künstlich erzeugten Gruppen so richtig anzugehören. Somit läßt sich auch aus der jeweiligen Gruppenzugehörigkeit nicht wirklich Stärke beziehen und dies führt wiederum zu dem Gefühl des Alleinseins, vielleicht auch Andersseins und zu dem Gefühl ohne den Rückhalt und die Stärke der Gruppe zu sein. Die Gruppen, deren Angehörigkeit einem Stärke vermitteln könnten, werden diffamiert. So kann man heute beispielsweise nicht mehr Stärke aus der Verbundenheit mit der Nation beziehen, da die Nationen eigentlich nicht mehr existieren oder lächerlich gemacht werden. Auch der Zusammenhalt innerhalb der Familie wird zumindest belächelt und nicht gerade gefördert. Das ist von den Machthabern her ein gewollter Effekt. Zusätzlich wird teilweise den kleineren Gruppen ein größeres Gewicht, welches sich teils in mehr Rechten gegenüber den Minoritäten zu Lasten der Majoritäten auswirkt, gegeben. Die Minoritäten stellen zum Einen durch ihre geringe Anzahl von Mitgliedern für Machthaber schon einmal keine Gefahr dar, zum Anderen kann man die Minoritäten auch jederzeit wieder entmachten.

Zu der Ausübung von Macht gehört auch zwingend die **Lenkung** der **Wahrnehmung** und der **Aufmerksamkeit**. Nicht nur, daß unsere Aufmerksamkeit auf die dreidimensionale Welt mit all ihren vermeintlichen Annehmlichkeiten (Konsum) verschoben wird: „Wenn Du dieses oder jenes kaufst, hast Du diese oder jene Gefühle", unsere Wahrnehmung wird auch durch die Gleichschaltung der Presse gelenkt und gefiltert. Es ist erwünscht, daß wir unsere Aufmerksamkeit und damit auch unsere Energie in Bereiche oder Richtungen lenken, welche die jeweiligen Machtpositionen untermauern und stärken, ja sogar erst ermöglichen. Wenn es allerdings gerade nicht erwünscht ist, daß die kollektive Aufmerksamkeit auf den Bundestag gerichtet ist, da hier in aller Eile beispielsweise Gesetze hin zu weniger Rechten für die Bürger verabschiedet werden, dann kann auch nach Belieben die kollektive Aufmerksamkeit auf ein Fußballspiel gelenkt werden. Damit wäre von Seiten des Gesetzgebers mit weniger Widerstand bei der Einführung der Gesetze zu rechnen. Wie wir bereits wissen werden mit der Aufmerksamkeit auch Energien in Richtungen gelenkt, die für die Machtausübenden von Vorteil sind und uns immer tiefer in die Abhängigkeiten und weiter weg von einem erfüllten Leben bringen.

Weiterhin wissen wir, daß Gefühle und Wahrnehmung einander bedingen. Rede ich beispielsweise einer Hausfrau und Mutter ein, daß sie total unfrei ist, weil sie nicht in einer Fabrik arbeitet, dann verschiebe ich Ihre Wahrnehmung und sie hat daraufhin ein anderes Gefühl zu ihrer Tätigkeit als Hausfrau. Weil sie dieses Gefühl der Unfreiheit wahrscheinlich nicht mag, wird sie versuchen irgendetwas an ihrer Situation zu ändern. Durch die Verschiebung der Wahrnehmung werden also die Gefühle beeinflußt und dadurch kann auch durchaus eine Handlung erzwungen werden. Es können natürlich auch Gefühle direkt erzeugt werden und damit wiederum Verhaltensweisen oder Handlungen generiert werden. Wenn ich z.B. glaube, daß ich ein Zufallsprodukt bin, dann werde ich grundsätzlich andere Verhaltensweisen aufweisen, als wenn ich glaube ich sei ein Produkt der aktiven Schöpfung. Im ersteren Falle werde ich eher mein Schicksal ertragen müssen im letzteren Falle habe ich die Möglichkeit als Teil Gottes aktiv mein Schicksal in die Hand zu nehmen und gegebenenfalls zu verändern.

Ähnliches gilt für die Vorstellung der Wiedergeburt. Glaube ich, ich lebe nur einmal, dann werde ich wahrscheinlich anders mit meinem Leben, aber auch mit den Ressourcen der Erde umgehen, als wenn ich glaube, daß ich immer wiedergeboren werde. Noch dazu betrachten wir die Erde und auch fast alle anderen Lebewesen als leblos. Dies führt zwangsläufig dazu, daß wir die Erde und andere Lebewesen völlig anders behandeln, als wenn wir davon ausgehen, daß sie ein Teil des großen allumfassenden Bewußtseins sind und nicht weniger Bewußtsein oder Leben in sich tragen als wir, nur eben eine andere Lebensform darstellen. Hier gilt es alle unsere Glaubensätze und – vorstellungen zu hinterfragen und gegebenenfalls zu korrigieren um wieder zu einem im Gleichklang befindlichen, erfüllten Leben, zu gelangen. Bedenken Sie, daß Ihnen alles irgendwann einmal wieder auf die Füße fallen wird.

Zusätzlich zu dem Lenken unserer Wahrnehmung und zu dem Erzeugen von eher schädlichen Gefühlen, wird unsere Aufmerksamkeit noch weg von der Gefühlsebene auf die materielle 3D-Ebene gelenkt. Wenn wir nur noch materielle Güter sehen und nicht mehr wissen wie sich ein Vogel anhört, wie der Himmel im Sommer eigentlich **genau** aussieht, weitergehend natürlich auch, wie wir uns selbst heilen können, dann verschwindet das Göttliche mehr und mehr aus unserem Leben. Wissenschaft findet größtenteils nur in der 3D-Ebene statt.

Beispielsweise in der Medizin wird nur direkt am Körper geforscht noch dazu am toten (leblosen) Körper; diese Medizin kann also nicht dem Leben dienen. Den Schwingungen den Gefühlen wird hier wenig bis gar keine Bedeutung beigemessen.

Das Gleiche gilt auch für andere Wissenschaften. In der Physik wird alles vermieden, damit der göttliche Aspekt nicht allzu offensichtlich zutage tritt. Frequenzen, Schwingungen, Energien werden äußerst theoretisch, demnach nur auf der mentalen Ebene behandelt. Das Göttliche wird als „Zufall" abgetan und nicht weiter beleuchtet.

Dadurch das Gott/das Leben für uns keine Relevanz mehr erhält, sehen wir die teuflischen Aspekte nicht, die mitten unter uns sind. Dadurch können **Rituale** für das teuflische Prinzip in aller Öffentlichkeit unter Mitwirkung von tausenden unwissenden Menschen recht einfach vollzogen werden. Hierfür stehen nicht nur die bereits schon erwähnten sportlichen Massenveranstaltungen, sondern auch Rituale im Namen einer Religion. Besonders eindrucksvoll ist hier die *Kaaba* in *Mekka*. Die Kaaba befindet sich im Innenhof der heiligen Moschee und ist das zentrale Heiligtum des Islam. Jeder Gläubige ist angehalten einmal im Leben eine Reise nach Mekka zu unternehmen und die Kaaba siebenmal **entgegen dem Uhrzeigersinn!** zu umrunden. Weiterhin soll jeder gläubige Muslim auch täglich mehrmals gen Mekka beten. Dieses Ritual erzeugt unglaubliche Energien, die nicht für die Gläubigen bestimmt sind!

Aber auch jede andere Religion lebt von einer Vielzahl von Ritualen und auch von Symbolen. **Symbole** werden immer mit einer Energie verbunden. In der christlichen Religion wird die Energie, das Gefühl „Leiden" in Form eines Symbols (Jesus am Kreuz) angebetet. Desweiteren wird bei dem Ritual „Abendmahl" der Leib und das Blut Christi eingenommen. Verbindet man sich in irgendeiner Form mit dem Symbol, so verbindet man sich auch immer mit der dahinterliegenden Energie. In der christlichen Religion unterwirft man sich Gott und erwartet, daß etwas von einem Selbst-Getrenntes für Wünsche und Probleme zuständig ist. Ich hoffe nach der Lektüre des vorliegenden Buches glauben Sie nicht, daß Sie von Gott getrennt sind, sondern, daß Gott in Ihnen wirkt.

Zu den bereits betrachteten Kriterien der Machtausübung gehören natürlich noch sehr viel mehr Teilaspekte. An erster und entscheidender Stelle sei da die **Lüge** oder das verdrehen der Wahrheit noch einmal deutlich zu erwähnen. Dabei bedient sich die Lüge der **Sprache**. Über Begrifflichkeiten, die in unseren Köpfen bestimmte Assoziationen erzeugen, läßt sich wunderbar das genaue Gegenteil verstecken.

Für die meisten westlich geprägten Menschen ist **Wissen** ein eher überraschender aber dennoch großer Aspekt der Machtausübung. Wissen ist eine Information die im Gehirn gespeichert wird und bei Bedarf abgerufen werden kann. Wir fragen uns nicht ob die Information richtig ist, wir vertrauen sogenannten Experten. Die Information in Form von Wissen wird so lange gespeichert, bis sie durch eine andere Information ersetzt wird. Ein gefühlsmäßiges Hinterfragen oder auch nur ein Weiterdenken ist nicht erwünscht und findet somit auch nicht statt.

Z.B. Milch, also Kuhmilch, soll gesund sein. Kann etwas wirklich gesund sein, das unter natürlichen Bedingungen nicht oder nur schlecht verfügbar ist? Eine Kuh liefert die Milch für das Kälbchen und würde uns ohne Hemmungen wegstoßen, wenn wir versuchten anstelle des Kälbchens am Euter zu nuckeln. Und um bei diesem Bild zu bleiben, wir würden unter solchen Umständen auch nicht versuchen an die Milch der Kuh zu gelangen. Man versucht uns klarzumachen, daß Milch viel Kalzium enthält und deswegen gesund für uns sei. Abgesehen davon, daß das Kalzium in Form von Kuhmilch für unseren Körper wahrscheinlich nicht oder nur schlecht verwertbar ist, drängt sich doch hier die Frage auf, wie das Kalzium eigentlich in die Milch hineinkommt? Die Kuh ißt die vielen Kräuter der Wiese und daraus generiert sie das Kalzium für die Milch. Wir könnten also auch direkt in Form der vielen Kräuter und Grünpflanzen Kalzium zu uns nehmen, ohne den Umweg über die Kuh.

Mit diesem Beispiel möchte ich veranschaulichen, daß wir generell zu kurz denken und Zusammenhänge nicht hinterfragen, sondern eher gelernt haben Informationen einfach zu übernehmen. Insofern stellt das was wir Wissen nennen in Wahrheit Glauben dar. Wir sollten uns darüber im Klaren sein, daß dieser **Glaube**, den wir Wissen nennen, immer ein Gefühl bewirkt und damit auch unser Leben oder unsere Einstellung dazu, extrem verändern kann. Wenn ich glaube, daß Milch gesund ist, dann werde ich -wenn ich gesund leben möchte- viel Milch trinken; wenn ich glaube, daß es nur ein Leben gibt, dann werde ich mit diesem einen Leben und den sog. Ressourcen anders umgehen, als wenn ich glaube, daß alles beseelt ist und ewig lebt. Dieser Bereich der Manipulation über das Wissen erstreckt sich über ein riesiges Gebiet. Es gibt immens vieles was wir glauben zu wissen, was aber so entweder nicht ganz richtig oder sogar grundweg falsch ist. Ich „weiß" z.B., daß das was heute noch in den Schulen und auch in der Universität über Magnetismus gelehrt wird falsch ist. Ein Magnet besteht nicht aus zwei Polen (Nord- und Südpol). Die beiden Pole bedingen vielmehr einander. Das konvergente Feld, welches in dem einen Pol innen verläuft, verläuft in dem anderen Pol Außen als Divergenzfeld; und umgekehrt. So weist also jeder Pol ein Konvergenz- und ein Divergenzfeld auf, und beide Felder laufen durch die mittlere Ebene, welche diamagnetisch ist und die Ursache des gesamten magnetischen Feldes darstellt. (ich habe vor noch ein Buch speziell über das Thema Wissen zu schreiben. Alles was wir glauben zu wissen, was aber nicht der Wahrheit entspricht).

Wissen läßt immer nur eine Art der Betrachtung zu und ist somit immer eine Einschränkung.

Wir sehen also Wissen ist Macht, Frage ist nur für wen. Jedenfalls nicht für denjenigen, der glaubt zu wissen.

Nun können wir sehen wie Macht auf recht subtile aber dennoch perfide Weise ausgeübt werden kann. Umso subtiler Macht ausgeübt wird und umso kleiner die Schritte der Machtausübenden sind, desto sicherer und freier werden sich die Untergebenen fühlen, was natürlich wiederum die Absicht der Machtausübenden ist, da so keinerlei Aufstände zu befürchten sind. Das erinnert mich an eine kleine arabische Anekdote. Ein Mann durchschreitet mit seinem Kamel die Wüste. Als ein Sandsturm aufzieht, baut der Mann sein Zelt auf um in diesem den Sandsturm abzuwarten. Als er recht gemütlich in seinem Zelt sitzt und der Sturm an den Zeltwänden rüttelt, fragt das Kamel ob der Mann vielleicht so gütich sei und dem Kamel erlaube seine Nase während des Sandsturmes in das Zelt zu stecken. Der Mann bejahte diese Anfrage des Kamels und das Kamel steckte seine Nase in das Zelt. Der Sandsturm wütete draußen vor dem Zelt weiter und nach einer Weile fragte das Kamel ob der Mann so gütich sei und dem Kamel erlaube seinen Kopf zum Schutze vor dem Sandsturm in das Zelt zu stecken. Der Mann bejahte auch diese Frage des Kamels und so steckte das Kamel seinen gesamten Kopf in das Zelt. Wahrscheinlich haben Sie bereits erraten worauf die Anekdote hinausläuft. Der Sandsturm dauerte noch nicht lange und das Kamel stand bereits vollständig in dem Zelt wobei der Mann alle Mühe hatte noch ein wenig Platz zu finden. Diese Anekdote soll uns zeigen, wie auf subtile Art in kleinen Schritten Macht ausgeübt werden kann. Wichtig hierbei ist zu erkennen, daß der Untergebene, in diesem Falle der Mann, während des gesamten Handlungsablaufes, dem Kamel seine volle **Zustimmung** gab und sicher nicht das Gefühl hatte von dem Kamel ausgenutzt zu werden. Ich denke der Mann fühlte sich nicht nur nicht ausgenutzt, sondern sicher auch sehr wohlwollend, vielleicht sogar großzügig dem Kamel gegenüber. Diese Retter-Rolle wiederum schmeichelt sicherlich dem Ego des Mannes. Der Mann fühlt sich keineswegs unfrei, sondern sicherlich eher frei, da er ja gefragt wird und letztlich der Entscheidungsträger ist. Am Ende der Anekdote ist er jedoch in seiner Bewegungsfreiheit sehr eingeschränkt. Kommt Ihnen dieses bekannt vor? Wir können schlecht nein sagen, wenn Menschen, die Macht über uns ausüben wollen, in kleinen Schritten vorgehen und mit jedem Schritt relativ wenig von uns verlangen, noch dazu mit so wunderbaren Erklärungen wie: „Ja also wenn die Banken sich verspekuliert haben und quasi vor der Insolvenz stehen, dann müssen wir als Steuerzahler die Banken „retten", Sie wollen doch nicht, daß die Stützen der Wirtschaft unter uns zusammenbrechen, oder?"

Zur gezielten Machtausübung zählt auch immer der **Mißbrauch**. Letztlich werden wir alle in jeder Rolle, die wir spielen mißbraucht. Besonders interessant finde ich hierbei die Rolle des Retters. Der Retter, der dazu aufgerufen wird künstlich erzeugte Probleme z.B.: durch Spenden an zwielichtige Organisationen im Außen zu lösen, wird vielfach ausgenutzt. Deswegen wird die Rolle des Retters in unserer Gesellschaft sehr positiv, sehr heroisch dargestellt.

Wir kennen die **Retter-Rolle** aus diversen Geschichten, wo der Retter der vermeintliche Held ist. Diese Geschichten gibt es in Comics, Büchern und natürlich im Kino und im Fernsehen. Wunsch vieler vor allem männlicher heute Heranwachsender ist es, Held zu sein, den Armen und Schwachen zu helfen und es den Mächtigen und Skrupellosen in einer Art wagemutigem Kampf zu zeigen. Das hört sich erst einmal gut an, wieso soll man nicht den Hilfsbedürftigen unter die Arme greifen? So ein Heldendasein kann auch enorm viel Energie freisetzen insofern müßte die Retter-Rolle doch von beiderseitigem Interesse sein. Schauen wir uns die Retter-Rolle doch einmal energetisch an. In aller erster Linie greift der Retter in einen Handlungsablauf, in der ein potentielles Opfer eine Erfahrung machen möchte, ein. Mit diesem Eingriff verhindert der Retter für gewöhnlich eine für das Opfer wichtige Erfahrung. Aus jeder Erfahrung kann man etwas Entscheidendes lernen, was wiederum den Sinn des Lebens darstellt. Das vermeintliche Opfer kann sich letztlich nur selber aus seiner Situation heraus befreien, indem es eine höhere Sichtweise aus einer höheren Ebene aus einnimmt. Bei diesem Vorgang des Erkennens von schädlichen Gefühlen, Denkweisen und somit auch Handlungen sowie deren Ursache kann ein Außenstehender sehr wohl helfen, wenn es vom

176

potentiellen Opfer ausdrücklich gewünscht ist. Die Zeit zum Verlassen der schädlichen Situation muß aber aus Opfer-Sicht auch reif dafür sein. Es ist letztlich das Gefühl oder die Energie, welches die schädliche Situation bewirkt hat vom Opfer loszulassen und ein anderes Gefühl, eine andere Haltung einzunehmen. Mit diesem neuen Gefühl mit dieser neuen Energie löst sich die vorhandene leidvolle Situation auf und neue lebensbejahende Situationen können entstehen. Bei dem Erkennen des neuen lebensbejahenden Gefühls reicht vielfach die pure Anwesenheit eines Menschen, der dieses Gefühl inne hat, dennoch der Akt des Loslassens des leidbringenden Gefühls ist vielfach schwierig und muß schon aktiv gewollt werden.

Das alles geht nicht in dem ich als vermeintlicher Retter die äußere Situation für das Opfer verändere, z.B. indem ich dem Opfer einen neue Wohnung oder Arbeit beschaffe. Das wäre letztendlich genauso, als wenn ich möchte, daß mein Meerschweinchen ein Hund ist und ich, um diese Entwicklung herbeizuführen dem Meerschweinchen Hundefutter gebe und mit dem Meerschweinchen Gassi gehe. Ich weiß, das Beispiel mit dem Meerschweinchen ist sehr extrem, aber bei der Betrachtung solcher Beispiele bemerken wir, was wir da eigentlich in abgeschwächter Form tun. Die Wandlung kann zwar von Außen angeregt werden, muß aber letztlich von Innen kommen.

Des Weiteren sollten wir noch einen Blick auf die Intention des Retters richten. Wieso verfolgt der Retter überhaupt die Absicht scheinbar helfend einzugreifen? In erster Linie sind hier die Schuldgefühle zu nennen, die sich ein Retter entweder von Außen einreden ließ, oder die aufgrund bereits vergangener eigener Taten in ihm entstanden sind. Das Einreden von Schuldgefühlen kann im Grunde genommen nur erfolgreich vollzogen werden, wenn in irgendeiner Weise eine Tat in irgendeinem früheren Leben stattfand, die bereut wird. Dieses Vorhandensein der vergangenen Tat formt in unserem Energiefeld eine Blockade, die bei Einreden einer Schuld anschwingt. Wir haben dann möglicherweise nichts mit der Tat dessen Schuld uns eingeredet wird zu tun, aber dennoch fühlen wir uns durch das Anschwingen unserer eigenen Taten schuldig. Wer sich völlig schuldlos fühlt und noch nie in irgendeiner Form in das Leben eingegriffen hat, dem kann man auch keine Schuld einreden. Aber allein durch die Tatsache, daß wir in der 3D- Form offensichtlich vorhanden sind, haben wir auch irgendeine Art Karma auf dieser materiellen Ebene zu lösen, sonst wären wir nicht hier! Hier können wir auch wieder sehr schön sehen, wie mit der Erzeugung von Gefühlen Macht missbraucht wird.

Dennoch trotz aller vergangener Taten und des Vorhandenseins von energetischen Blockaden (Karma), sollten wir diese Art der möglichen Manipulation durch Einreden von Schuld durchschauen und uns keinerlei neuerliche Schuld aufbürden lassen.

Die Herangehensweise der Machtausübung und des Machtmißbrauchs sollten wir durchschauen, das ist letztlich die Herausforderung der Zeit in der wir leben. Es ist nicht möglich gegen bestehende Machstrukturen vorzugehen, diese also zu bekämpfen, damit würde man diesen letztlich auch wieder Energie geben. Sie gehen doch auch nicht in ein Restaurant dessen Essen und Service Sie nicht mögen, um sich den ganzen Abend darüber zu ärgern. Sie gehen in Ihr Lieblingslokal und erfreuen sich an dem Essen und der netten Bedienung und unterstützen damit eben genau Ihr Lieblingslokal und nicht das Restaurant was Sie ablehnen. Genau so ist es im Supermarkt. Sie stehen nicht vor dem Zigarettenregal um sich darüber aufzuregen, daß in diesem Supermarkt Zigaretten verkauft werden. Sie fokussieren sich einfach beim Einkauf auf das was Sie gerne kaufen möchten und nehmen vielleicht teilweise noch nicht einmal wahr, daß es in dem gleichen Supermarkt auch Alkohol und Zigaretten gibt. Diese Art der Wahrnehmung ist nicht Ignoranz. Sie versuchen nicht vor dem Zigarettenregal davon zulaufen, oder die Augen zu schließen. Sie akzeptieren einfach, daß es Menschen gibt, die rauchen. Für Sie sollte, um bei diesem Beispiel zu bleiben, allein wichtig sein eben nicht zu rauchen. Sie müssen auch nicht herumlaufen und andere davon überzeugen, wie schädlich rauchen ist. Im Falle des Rauchens wären Sie dann

178

Transzendent. Sie unterstützen einfach das was Sie mögen und geben diesem dadurch Energie. Sie lösen in sich selbst und eben nicht im Außen, daß was Sie nicht mögen. Sie akzeptieren die Realität so wie sie ist und entscheiden sich für das was immer Ihnen richtig erscheint. Damit beeindrucken Sie andere Menschen oft vielmehr, als mit einer Moralpredigt.

Leben Sie das was Ihnen richtig erscheint!

Wenn Sie das Leben gestalten und mit Energie füllen wovon Sie überzeugt sind, dann ist Ihr Umfeld auch ein anderes. Das klingt logisch. Wenn ich mich über Alkoholiker aufrege, dann habe ich sicher auch in irgendeiner Weise mit Alkoholikern zu tun, denn das was ich ablehne wird in meine Nähe gezogen.

17.   Lösungsansatz (Was ist also zu tun?)

Sinnvoll ist hier lediglich den Machtstrukturen die Energie zu entziehen, und die Aufmerksamkeit auf das Leben, die Liebe, das Miteinander zu lenken. Damit entwickeln sich lebensbejahende, friedvolle Projekte, die immer mehr Menschen anziehen.

Solcherlei Ziele, lassen sich aber nur verwirklichen, wenn wir **Liebe und Frieden sind** und dieses geht nur, wenn wir alles was nicht Liebe und Frieden ist in unserem Energiefeld, in unseren Gefühlen geheilt haben. Wir können uns nur von missbrauchenden Machtstrukturen lösen, wenn wir in die Selbstverantwortung kommen und auch nicht mehr Spielball unserer eigenen Gefühle sind. Wenn ich beispielsweise unbedingt berühmt werden möchte, dann bewerbe ich mich möglicherweise bei einer Show, wie: „Deutschland sucht den Superstar". Hier werde ich vermarktet, ich verkaufe meine Seele. Hier lerne ich, wie ich mich verbiegen muß, um ein gutes Markenprodukt sein zu können und mehr noch, um dann später auch die satanischen Rituale ausführen zu können. Im Grunde müssen wir uns nicht von den Machthabern befreien, sondern den Gefühlen, die uns ständig in

Abhängigkeiten treiben. Wir müßen nur vollständige Macht über uns selbst, über unsere Gedanken und Gefühle erlangen.

Dies können wir erreichen, indem wir unsere Gefühle nach der oben beschriebenen Methode reinigen Diese Reinigung der Gefühle beinhaltet:

a) **alle Gefühle körperlicher Art**. Dazu gehören natürlich jegliche Art von Schmerzen, ein inneres Drücken, vielleicht kratziges Gefühl, kurz: jedes körperliche Zwicken und Zwacken. Zu den Gefühlen körperlicher Art gehören auch Gefühle der Schwere (Element Erde), der Hitze (Element Feuer), der Kälte (zu wenig Feuer oder Element Wasser) oder das Gefühl nicht richtig atmen zu können (Element Luft). Es gilt also auch die Elemente in Harmonie zueinander zu bringen. Im Grunde genommen sollten Sie Ihren Körper fast nicht wahrnehmen, somit letztlich zu einer vollständigen körperlichen Entspannung gelangen.

b) **alle Gefühle mentaler Art** z.B.: ich lehne Arroganz ab, ich finde andere Leute blöd. Ich habe mangelnde Fähigkeiten, ich bin also unfähig dies oder das zu tun (beispielsweise gut im Kopf zu rechnen, gut zu kochen usw.). Das heißt jetzt nicht, daß Sie sich für alles interessieren müßen. Wenn Sie also gar keine Lust haben toll kochen zu können, dann brauchen Sie auch nicht diese Fähigkeit, dennoch sollten Sie weder eine Abneigung noch eine Bewunderung zu irgendwelchen Fähigkeiten verspüren. Wir wissen ja bereits, daß eine Abneigung zu einer Fähigkeit, einen „Button" aufzeigt und eine Bewunderung zeigt auf, daß Sie diese Fähigkeit gerne hätten und aus irgendeinem Grunde nicht leben können, somit wäre dies also auch ein „Button".

c) **alle Gefühle seelischer Art**. Hier wäre als Oberbegriff, jede Art von Ängsten, Zweifeln und Unsicherheiten zu nennen. Ängste werden von uns vielfach als irreal angesehen. Beispielsweise haben Sie Angst Hunger zu leiden, sind aber in diesem Leben recht wohlhabend und sitzen vor einem gefüllten Teller. Gehen Sie diesen und anderen

Ängsten die Sie empfinden nach, auch wenn diese noch so irreal scheinen. Wahrscheinlich haben Sie in einem früheren Leben Hunger erleiden müßen oder Sie beherbergen vielleicht in Ihrem Energiefeld eine Wesenheit, die diese Ängste hat und somit fühlen Sie diese Ängste hautnah.

Zu den Gefühlen seelischer Art gehören auch zwanghafte Handlungen beispielsweise Essen oder Einkaufen. Diese zwanghaften Handlungen können auch Handlungen beinhalten, die positiv wirken. Also beispielsweise das zwanghafte Gefühl Arbeiten zu müssen, oder abends joggen zu gehen. Hier gibt es einen schleichenden Übergang. Wenn ich nur noch draußen herum renne und alles andere vernachläßige, dann ist diese Handlung garantiert zwanghaft, im Gegensatz dazu, wäre eine Tätigkeit die mir einfach Spaß macht, auf die ich mich freue, sicher keine zwanghafte Betätigung.

Die energetische Reinigung beginnt man bei eher groben Gefühlen, wie körperliche Schmerzen. Im Laufe der Zeit geht man über zu immer feineren Gefühlen, so daß man schlußendlich die Vollkommenheit erreicht und ein göttlicher Ausdruck des Lebens ist.

Hinterfragen Sie hierbei jedes Gefühl, jeden Gedanken, den Sie haben. Ist dieser Gedanke, dieses Gefühl göttlicher Natur? Ist das was Sie denken/fühlen ein Ausdruck der Liebe, der Schönheit?

Es läuft also darauf hinaus absolut alles als Ausdruck des Lebens zu sehen und somit alles zu lieben. Das beinhaltet nicht nur jede Lebensform, sondern auch die Vergangenheit, die Gegenwart und die Zukunft. Diese Erfahrungen, die wir kollektiv als Menschheit und natürlich auch als Individuum an sich machen durften, gilt es in Liebe anzunehmen (ja, auch die Kriege). Wenn das nicht geht und Sie das Gefühl haben, Sie lehnen beispielsweise Krieg gänzlich ab, Sie können beispielsweise Gewalt nicht als Teil des Lebens sehen, dann machen Sie eine Andersweltreise und ergründen Sie welchen Anteil Sie in der Vergangenheit womöglich an jeglicher Gewalt hatten und überführen Sie diese Gefühle in Gefühle des Friedens! Sehen Sie die Liebe in allem was war, je sein wird und IST!

Nehmen Sie nur gutes Essen, gute Gedanken und gute Gefühle zu sich! Sehen Sie Abends gerne einen Krimi? Füttern Sie Ihre Seele nicht mit Gewaltbildern! Ihre Seele kann nicht zwischen Fiktion und sogenannter „echter" Handlung unterscheiden. Ihre Seele hat den Eindruck eine „echte" Tat zu beobachten. Wir trainieren uns damit passiv einer solchen Tat beizuwohnen und diese eben zu konsumieren. Das gleiche gilt für die Nachrichten. Fakt ist, Gewalt ist Teil des Lebens, ich kann die Gewalt nicht aus dem Leben verbannen, sie ausmerzen, oder so tun als ob sie nicht da wäre (Gewalt gedeiht nämlich wunderbar in der Dunkelheit). Ich kann nur wählen, daß ich nicht Teil eines Gewaltaktes bin, weder als Opfer, Täter, Retter oder „einfach nur" als passiver Beobachter. Ich sollte weder Gewalt ablehnen, noch in bestimmten Fällen (z.B.: Todesstrafe von Mördern) favorisieren.

Um so mehr ich meinen Gedanken und Gefühlen Aufmerksamkeit entgegen bringe und alle niedrigschwingenden Gefühle in höherschwingende Gefühle umwandle, umso ACHTSAMER ich also bin, desto entspannter, reiner und klarer werde ich mich fühlen. Ich werde mit zunehmender Reinigung erfahren, daß Gedanken und Gefühle erschaffen.

Wenn ich dies erreicht habe, werde ich mit der Erde und dem kosmisch Göttlichen verbunden sein. Mein Energiefeld sieht dann aus wie das Magnetfeld eines Stabmagneten. Ich bin dann vollständig von meiner Herzensenergie eingehüllt, die mich auch vor niedrigschwingenden Energien (man könnte sagen vor „negativen" Einflüßen) schützt. Ich stelle dann fest, daß die Erde und der Kosmos, das Göttliche, die gleiche Frequenz haben wie ich. Alleine schon aus dieser Betrachtung heraus bin ich geschützt, da die Erde nicht etwas vernichten würde, was das Gleiche ist wie sie selbst. Ich bin dann das Kind von Mutter Erde und dem Göttlichen, dem Leben selbst oder Gott Vater.

Hinterfragen Sie alles in Ihrem Leben, alles hat seinen Sinn, seine Ursache. Warum habe ich diesen Partner geheiratet, warum erlebe ich Gewalt, Neid, Missgunst? Warum rauche ich, warum nehme ich Nahrungsmittel zu mir, die mir nicht gut tun usw.

Wenn Sie Ihre Gefühle gereinigt haben und Sie ein Ausdruck des Göttlichen sind, dann ist das Leben leicht und beschwingt. Nicht nur, daß Sie sich super toll fühlen, einfach glücklich und gesund sind, Sie sind auch direkt über Ihre Intention mit dem göttlichen verbunden und werden z.B. bei etwaiger Gefahr gewarnt (z.B. Erdbeben und Ähnliches). Des Weiteren ist alles was Sie tun Ausdruck des Göttlichen, Sie können also für sich und Andere wieder das Paradies erschaffen.

Ist Ihnen eigentlich bewußt, welches der primäre Unterschied zwischen Menschen und Tieren ist? Das Tier lebt nach seinen Gefühlen, es kommt gar nicht darauf seine Gefühle zu missachten. Der Homo Sapiens lebt im Verstand er missachtet meistens seine Gefühle, der neue Mensch, der gefühlsmäßig gereinigte, hat in der Zeit des Homo Sapiens gelernt den Verstand zu benutzen und nun integriert er wieder seine Gefühle. Er lebt also seine Gefühle in Verbindung mit dem Verstand.

Derzeit findet auf der Erde ein gigantischer Entwicklungsprozess statt. Dieser wird auch durch äußere, kosmische Energien begünstigt. Dies zeigt sich unter anderem auch in dem Stand der Erde relativ zum Zentrum der Michstraße. Das Außen und das Innen bedingen einander. Wer an althergebrachten Methoden des Lebens und Überlebens festhält, der wird feststellen, daß er mit seiner Art zu leben immer mehr Reibung erzeugt, was wiederum zu Leid führt. Man könnte auch sagen, daß wir immer weniger mit der Welt so wie wir sie uns aufgebaut/erschaffen haben, klar kommen. Grundsätzlich ist diese Übergangszeit eine Zeit in der auf der einen Seite das Leid immer größer wird, auf der anderen Seite werden aber auch Chancen des Umdenkens größer und zunehmend wahrgenommen!

18.   Ausblick

Werfen wir doch einmal einen Blick auf den Maya Kalender, der für diese Zeit in der wir gerade leben starke Umwälzungen vorhergesagt hat.

18.1 Maya-Kalender

Am 21.12.2012 endete der größte Zyklus des Maya-Kalenders. Dieser größte Zyklus umfaßt 25.800 Jahre (Präzession der Erdachse). Da der Maya-Kalender ein Immerwährender-Kalender ist, beginnt nach dem größten Zyklus ein neuer großer Zyklus. Die Beendigung des größten Zyklus des Maya-Kalenders muß nicht zwangsläufig mit einer Katastrophe einhergehen. Das wäre ähnlich wie in unserem Gregorianischen-Kalender das Datum 31.12.1999. In unserem Gregorianischen-Kalender endete am 31.12.1999 ein Jahrtausend und das nächste Jahrtausend begann. Bei unserer Jahrtausendwende geschah auch nichts Außergewöhnliches.

Das Kalendersystem der Maya ist grundsätzlich anders als unseres, somit kann man auch beide Kalendersysteme schlecht miteinander vergleichen. Man muß dazu sagen, daß die Maya mehrere Kalender hatten und nur ein Bruchteil des Kalendersystems der Maya erhalten geblieben ist, was einen Vergleich zu unserem Kalendersystem dann noch zusätzlich erschwert oder gar völlig unmöglich macht.

Allerdings gibt es einen grundlegenden Unterschied zwischen dem Maya-Kalender und unserem Gregorianischen-Kalender.

Der Maya-Kalender beschreibt natürliche Entwicklungs-Zyklen, unser gregorianischer Kalender beschreibt auch natürliche Zyklen aber in einem viel kleineren Rahmen, zumal bei unserem Kalender auch weniger Wert auf die Darstellung der Entwicklungszyklen als auf die eher „technische" Symmetrie gelegt wurde. Das heißt, wir zählen unsere Jahre seit Christi-Geburt und das auch nur so ungefähr (da wir

184

nicht genau wissen wann Christi-Geburt war). Das kann man zwar machen, aber unsere Jahreszahl entspricht dann nicht mehr dem natürlichen Entwicklungszyklus. Diese natürlichen Entwicklungszyklen sind eng mit der Erdbewegung und der Bewegung unseres gesamten Sonnensystems verbunden. Die kleineren Entwicklungszyklen können wir noch leicht nachvollziehen. Wenn sich die Erde einmal um sich selbst dreht, dann dauert das fast genau 24 Stunden. In dieser Zeit haben wir Menschen einen vollen Tag mit ca. 16 Stunden Tagesaktivitäten und ca. 8 Stunden Schlaf.

Dann gibt es den Mond-Zyklus. In ca. einem Monat (27,3 Tage) dreht sich der Mond einmal um die Erde. Dies ist der menschliche Fruchtbarkeitszyklus.

Als nächstes haben wir da noch das Jahr (365,25 Tage), in welchem sich die Erde einmal um die Sonne dreht. Dieser Entwicklungszyklus repräsentiert den Jahreszeitenzyklus. Im Tzolkin-Kalender der Maya dauert ein Jahr 260 Tage dies umfaßt die Gravidität (Dauer der Schwangerschaft) eines Menschen.

Dann wäre da noch die Präzession der Erdachse (das ist die Taumelbewegung der Erde), welche ca. 25.800 Jahre dauert sowie der Umlauf der Erde um das Milchstraßenzentrum (galaktisches Jahr), welcher ca. 220-240 Millionen Jahre dauert.

Fakt ist, daß alle diese Zyklen einen Einfluß auf uns Erdbewohner haben, dies können wir anhand der kleineren Zyklen noch erfassen. Für uns macht es lebenstechnisch einen Unterschied ob es beispielsweise Frühling oder Winter, Tag oder Nacht ist. Es gibt mit Sicherheit noch mehr Zyklen, die ich hier nicht aufgeführt habe. Wenn z.B. der Mond einen Einfluß auf uns Menschen hat, dann haben die anderen Planeten unseres Sonnensystems sicher auch einen energetischen Einfluß auf uns (Astrologie).

18.2 Ende der Zeit

Die Überlieferungen der Maya sprechen von dem Ende der Zeit um das Jahr 2012, was gleichbedeutend ist mit dem Ende der Welt, denn Welt meint das künstlich erschaffene Konstrukt in dem wir leben, und dieses existiert nur in einer bestimmten Zeit. Das heißt natürlich nicht, daß die Erde untergeht, es heißt lediglich, daß die Zeit, so wie wir sie im Moment noch kennen, zu Ende geht. Das ist also wie bei einem Kind welches erwachsen wird. Hier spricht man auch von dem Ende der Kindheit.

Es bedeutet auch, daß die Zeit als künstliches Konstrukt nicht mehr die entscheidende Rolle für unser Leben spielen wird, welche die Zeit jetzt noch spielt. Der Sitz des Zeitgefühls in unserem Gehirn ist der Neocortex. Unser jetziges technisches Zeitalter ist geprägt von den Denkmustern des Neocortex in Verbindung mit dem limbischen System. Transzendieren wir die gespeicherten Gefühle, so befinden wir uns im präfrontalen Cortex und damit in der Zeitlosigkeit!

Im Übrigen beginnt für die Maya danach das goldene Zeitalter. Zwischendurch kann die Erde also gar nicht untergehen!

18.3 Entwicklung der Menschheit

Betrachten wir den größten Zyklus des Maya-Kalenders (25.800 Jahre) noch einmal genauer. Bei diesem Zyklus handelt es sich um eine Zeitspanne, die in jedem Fall außerhalb der Dauer eines menschlichen Lebens liegt. Wenn wir hierbei aber wieder die Reinkarnation ins Spiel bringen, so legen die Seelen (die Energien) im Laufe der großen Zyklen bestimmte Entwicklungsabschnitte zurück.

Werfen wir noch einmal einen kurzen Blick auf die **Entwicklung der Menschheit**. Als wir uns aus dem Tierreich entwickelten und zu Menschen wurden, hatten wir zwar Erfahrungen innerhalb des Tierreiches gemacht, diese aber nicht bewertet und kategorisiert. Deswegen waren wir energetisch auch noch relativ unbelastet. Dieser ursprüngliche Zustand ist zwar schön, und wird in der Bibel auch mit **Paradies** bezeichnet, aber dieser Zustand ist auch noch relativ unreif. Der paradiesische Zustand ist im kleineren Rahmen mit der Entwicklungsstufe des Kindes vergleichbar. Um jetzt also erwachsen werden zu können, benötigt der Urmensch Erfahrungen, dazu muß er sich aus dem Garten Eden heraus trauen und die Welt kennenlernen. Dies ist letztendlich das pubertierende, heranwachsende Kind, das die ursprüngliche paradiesische Umgebung (im übertragenden Sinne das Elternhaus) auch erst einmal ablehnt, teilweise mit Füßen tritt und auch meint es besser zu wissen. Diese Phase der menschlichen Entwicklung entspräche dann dem Zeitalter des Homo Sapiens. Diese Phase wird in der Bibel durch den Sündenfall (Genuß der Frucht vom Baum der Erkenntnis) eingeläutet und symbolisiert. Nun muß das heranwachsende Kind noch richtig erwachsen werden. Zum Erwachsenwerden gehört die Integration des Elternhauses mit den gemachten Erfahrungen. Dies ist genau das was momentan in der Welt geschieht. Die **Integration der Gefühle mit dem Verstand mit der Technik**. Wir befinden uns damit in einer neuen Evolutionsphase in einem neuen Bewußtsein.

Das bedeutet also, daß wenn wir **keine Erfahrungen** gemacht hätten, dann hätten wir das reine Gefühl nichts schwingt an, wir sind mit dem Universum im Gleichklang, in Resonanz, in Harmonie. Um Reife zu erlangen brauchen wir allerdings Erfahrungen. Die Bewertungen oder Anhaftungen an diese Erfahrungen schränken uns allerdings auch ein. Wir haben nicht mehr die reine, klare Sichtweise auf die Dinge, sondern eine eingeschränkte Wahrnehmung, unsere eigene persönliche Logik und unser eigenes persönliches Weltbild. Transzendieren wir nun die gemachten Erfahrungen, dann sind wir einen großen Schritt weiter, wir haben dann eine uneingeschränkte Wahrnehmung und transzendierte Erfahrungen, die uns nicht mehr im Kreis laufen lassen. Durch die **Transzendenz der Gefühle** sind diese Erfahrungen nicht weg, wir hängen nur nicht mehr so an ihnen und identifizieren uns nicht mehr so mit diesen Erfahrungen. Letztendlich spielt ja nur die hinter den Erfahrungen liegende Entwicklung eine Rolle. Die Transzendenz ist ein wichtiger Entwicklungsschritt, ansonsten sind wir, wie schon erwähnt, in unseren eigenen Kreisläufen gefangen. Die Transzendenz ist letztendlich auch wieder eine Erfahrung, eine Fähigkeit mit Problemen und dem Leben an sich umzugehen. Wenn wir ein Problem von der transzendenten Ebene aus betrachten, dann lassen wir uns nicht mehr so auf dieses Problem ein, wir sehen Probleme als Entwicklungsmöglichkeit und von einer höheren Warte aus und können sie somit viel gelassener und angstfreier lösen. Mit der Angstfreiheit gewinnen wir auch ein erhebliches Stück Objektivität zurück, die uns sonst, gefangen in unseren Gefühlen und in unserem persönlichen Weltbild, abhanden kommen. Durch die Ansammlung von unterschiedlichen Erfahrungen reden letztendlich unterschiedliche Energien durcheinander, so ist auch keine echte Konzentration und auch keine Intuition möglich!

Betrachten wir ein Leben, welches ja eine kleine Entwicklungsspirale darstellt, so ist die Transzendenz der Erfahrungen, genauso wie das Erwachsenwerden. Ich trauere nicht mehr dem Teddybär hinterher, welcher kaputtging, als ich ein Kleinkind war. Ich habe diese Erfahrung also transzendiert. Nun kann ich wieder neue, möglicherweise umfassendere Erfahrungen machen, die mich entwicklungstechnisch wieder ein Stück weiter bringen.

So betrachtet, ist die Prophezeiung der Maya und auch anderer indigener Völker gar nicht so mystisch, wie das immer so empfunden wird. Bei einem Kind können wir solche Vorhersagen ja auch treffen: z.B. daß dem Jungen irgendwann ein Bart wachsen wird, daß sowohl Junge als auch Mädchen in einem bestimmten Alter geschlechtsreif werden, in einem bestimmten Alter das Elternhaus verlassen usw. Es handelt sich hierbei eben um ganz normale Entwicklungsschritte, die bei jedem in einem bestimmten Alter eintreten. Sonderlich prophetisch oder mystisch ist daran nichts, wir haben die großen Entwicklungen nur eben vergessen, alleine schon dadurch bedingt, daß wir die Reinkarnation, und überhaupt die gesamte energetische und damit gefühlsmäßige Welt, aus unserem Denken verbannt haben. Aber mit dem Gefühl hätten wir ja auch diese Zwischenentwicklung (Homo Sapiens) gar nicht wirklich vollziehen können. Das wäre beispielsweise genauso, als wenn man von einem pubertierenden Jugendlichen erwarten würde, daß er seine Mutter zu seinen Freunden und sonstigen Exkursionen mitnimmt. Dieser wichtige Schritt der Abnabelung vom Elternhaus wäre dann nicht richtig vollzogen!

18.4 Apokalypse

Haben Sie sich schon einmal gefragt wieso geschichtlich gesehen eigentlich immer Hochkulturen untergehen? Das alte Babylon, das Römische Reich, das Osmanische Reich usw. sind alles Kulturen, die ab einer gewissen Ausbreitung und Größe, Schwierigkeiten hatten weiter zu wachsen und somit anfingen langsam von innen heraus zu zerfallen. Um das zu verstehen, schauen wir uns Kulturen einmal genauer an. Die Grundlage jeder Kultur ist immer eine **Ideologie**, welche durch jemanden (meist das jeweilige Staatsoberhaupt) repräsentiert wird. Eine Ideologie gibt den Menschen, die in dieser Kultur leben, ein bestimmtes Weltbild und somit einen gewissen Lebensinhalt vor. Das klingt dann beispielsweise so: „Wir müssen gegen die Barbaren kämpfen" oder „Das Römische Reich braucht Straßen, also müssen wir Straßen bauen". Ideologien betreffen so ziemlich jeden Bereich des Lebens auch des gegenseitigen Miteinanders und gehen immer einher mit irgendeiner Form von Kampf. Entweder gegen oder für irgendetwas oder irgendwen. Angehörige einer Kultur stellen dabei immer in irgendeiner Form ihre Energie für die jeweilige Ideologie zur Verfügung. Im Laufe der Zeit erschöpft sich dies. In den ersten Krieg geht man vielleicht noch mit einem gewissen heroischen Gefühl. Nach der X-ten Kampfhandlung beginnt man langsam zu begreifen, daß Krieg immer eine grausame Angelegenheit ist und immer auf beiden Seiten Verlierer hervorbringt. Im nachhinein stellt man auch fest, daß nicht die Soldaten die Helden geworden sind, sondern meistens diejenigen, die man einst bekämpfen sollte. Wie dem auch sei, eine Ideologie, egal welchen Inhalts, hat die Angewohnheit nach einer gewissen Zeit zu verblassen. Die Menschen haben dann schlichtweg keine Lust mehr ihre Energie für oder gegen etwas von außen Vorgegebenes einzusetzen. Sie kennen den Trick langsam: „Ach dann ziehe ich in den Krieg, und wenn ich nach Hause komme, dann ist meine Frau längst mit einem anderen zusammen, meine Kinder kennen mich überhaupt nicht mehr und auf der Straße machen alle einen großen Bogen um mich". Weiterhin wird es energetisch auch immer aufwendiger eine Ideologie zu halten. Eine Ideologie kommt im Grunde genommen einer Lüge gleich, man ist eben kein Held, wenn man im Krieg irgendwelche Leute abschießt. Will man von Seiten der Machthaber wieder einen Krieg, so muß man sich schon etwas einfallen lassen. Die „Heldengeschichte" ist mit der Zeit einfach abgedroschen.

Dadurch, daß eine Ideologie nicht der Wahrheit entsprechen kann (sonst wäre es die Wahrheit und nicht die Ideologie), kann eine Ideologie auch nie durch eine bessere ersetzt werden. Eine Ideologie eint die Menschen, sie ist ein stiller gemeinsamer Konsens, allerdings eher in Form einer Abhängigkeit. Die Ideologie führt immer zu einer gemeinsamen Stoßrichtung und diese Stoßrichtung dient immer jemandem.

Die Wahrheit läßt Raum und Möglichkeiten, die Unwahrheit, die Ideologie, dient in einem bestimmten Bereich EINER Möglichkeit. Also beispielsweise Geld. Heutzutage läßt sich nur über Geld ein Leben gestalten. In diesem Bereich der Wirtschaft gibt es auch keine anderen Möglichkeiten. Geld ist eben GESETZLICHES Zahlungsmittel. Ich kann auch nicht wie ein Steinzeitmensch einen eigenen Gemüsegarten bewirtschaften und somit vielleicht auf Geld weitestgehend verzichten, da ein Grundstück Geld und auch laufende Grundstückssteuern kostet.

Eine Ideologie besteht aus vielen solchen Bereichen, in denen so gut wie kein Handlungsspielraum besteht und dadurch gibt eine Ideologie immer eine Art zu leben vor. Andere Möglichkeiten des Lebens außerhalb der vorgegebenen Ideologie werden diffamiert oder mit Ängsten belegt.

Eine Ideologie lebt von der Verbreitung. Sind möglichst viele Menschen von einer jeweiligen Ideologie überzeugt, dann lassen sich diese Menschen auch für gemeinsame Ziele einsetzen und deren Energie somit auch mißbrauchen. Die Ideologie bindet die Menschen an eine Kultur oder an ein System.

Die Wahrheit hingegen verbindet ohne Abhängigkeiten zu schaffen und ohne die Notwendigkeit der Verbreitung. Die in der Wahrheit lebenden versuchen die Unwissenden nicht zu bekehren, sondern lassen ihnen Raum für ihre Erfahrungen und daraus erwachsen Möglichkeiten.

Wenn Sie beispielsweise Ihrem Hobby nachgehen, dann wünschen Sie sich sicher eine Akzeptanz für Ihr Hobby, Ihr Partner muß aber nicht zwangsläufig das gleiche Hobby ausüben. Sie möchten also nicht Ihren Partner an Ihr Hobby in einer Art Abhängigkeit binden und ihn für Ihre Zwecke einsetzen. Bei Ihrem Hobby genügt Ihnen also, dies in aller Stille und in Freude auszuüben. Bei der beruflichen Tätigkeit sieht es meistens anders aus. Sitzen wir alleine im Büro und verkaufen Versicherungen, dann stellen wir die Sinnhaftigkeit dieser Aufgabe recht schnell in Frage. Solcherlei Tätigkeiten können nur durch eine dahinterliegende Ideologie eine scheinbare Sinnhaftigkeit erhalten.

Eine Kultur wird immer von einer Ideologie getragen, die auch nie in Frage gestellt wird. Befindet sich die Kultur in einem Auflösungsprozess, so stirbt die Ideologie immer zuletzt.

Wenn nun die Ideologie als Basis einer Kultur nicht mehr energetisch genährt wird, dann zerfällt nach und nach die Gesellschaft. Anzeichen eines solchen Zerfalls ist dann beispielsweise ein zunehmender Verfall der moralischen Werte. Die wortlose Einigung der Menschen untereinander geht also verloren, man zieht nicht mehr an einem gemeinsamen Strang. Nun macht sich jeder auf den Weg zur Wahrheit. Diese kann man aber nicht in ihrer Vollständigkeit erkennen, solange man noch Vorbehalte oder, anders ausgedrückt, eben energetische Blockaden hat. Mit energetischen Blockaden lebt man weiterhin in einer Scheinwelt.

Genau in dieser Zeit leben wir, in der die bisherigen Werte, die bisherige Ideologie in Frage gestellt wird. Umso mehr wir die bestehende Ideologie in Frage stellen, umso abstruser wird diese äußere Welt in der wir leben und umso weniger Halt empfinden wir.

Die Bibel spricht für diese Zeit von Apokalypse. Was heißt eigentlich Apokalypse? Apokalypse heißt Aufdeckung. Aufgedeckt wird, daß die Ideologie ein künstliches Konstrukt ist und nicht der Wahrheit entspricht. Mit dem Fall der Ideologie haben wir einen Umbruch der bestehenden Ordnung. Die Maya sprechen hier von Weltuntergang. Die Welt ist dieses künstliche Konstrukt, welches von der Ideologie getragen wird; die Welt ist nicht die Erde! Die Erde wird nicht untergehen.

Wir sehen, daß unser System, in dem wir jetzt noch leben einen Umbruch erfährt. Wenn wir uns die Welt ansehen, dann kann es aus logischer Sicht eigentlich gar nicht anders sein. Um ein Faktum herauszugreifen:

Im Moment leben mehr als 7 Milliarden Menschen auf der Erde. Mein Vater sagte immer so schön, daß er in der Schule gelernt hat, daß 2,5 Milliarden Menschen auf unserem Planeten leben (sein Lehrer hat sich da nicht geirrt! Es stimmt, vor ca. 60 Jahren hatten wir 2,5 Milliarden Erdbewohner). Das natürliche Gleichgewicht ist schon lange aus den Fugen geraten. Nun könnte man sagen, „na schön es ist zwar aus den Fugen geraten, aber wir leben ja immer noch". Das ist ganz richtig, dennoch habe ich dafür zur Erläuterung noch ein schönes Gleichnis.

Stellen wir uns vor:

Ein See beherbergt zwei Seerosen. Diese Seerosenart vermehrt sich so, daß sich die Seerosenpopulation innerhalb eines Tages verdoppelt. Wenn also an einem Tag zwei Seerosen auf dem See zu finden waren, dann sind einen Tag später zwei mal zwei also vier Seerosen auf dem See. Nach einem Monat ist der See halb zugewachsen. Wie lange dauert es nun, bis der See ganz zugewachsen ist? Richtig, es dauert noch genau einen weiteren Tag bis der See ganz mit Seerosen zugewachsen ist.

Dieses Beispiel kann man natürlich **nicht** auf das menschliche Wachstum unseres Planeten übertragen, da sich die Menschheit nicht nach einem Tag verdoppelt. Das Wachstum der Menschheit ist also ein völlig anderes als das der Seerose. Ich will mit diesem Gleichnis auch lediglich zeigen, daß sich Entwicklungen rasant beschleunigen können. Wenn ich z.B. rauche, dann tun mir die ersten paar Zigaretten sicherlich nicht sonderlich gut, aber meine Gesundheit wird nicht allzu viel Schaden daran nehmen. Rauche ich aber eine Schachtel Zigaretten am Tag mehrere Jahrzehnte lang, dann werde ich irgendwann gesundheitlich darunter leiden. Nichts kann ich wirklich auf Dauer gegen die Wirklichkeit, die Wahrheit tun, ohne irgendwann einmal die Rechnung dafür zu bekommen! Es wird, und kann nicht alles einfach so weiter gehen wie bisher. Am Ende solcher Phasen beschleunigt sich also immer die Zeit! Das heißt, es wird immer schwerer solche Phasen aufrechtzuerhalten. Der Aufwand der betrieben werden müßte, um so weiterzuleben wie bisher, wird einfach immer größer, irgendwann ist der Aufwand zu groß! Das zeigt sich im Moment an allen Ecken unter anderem z.B. in unserem Gesundheitssystem, in unserem Rentensystem, in dem bereits erwähnten Wachstum der Erdbevölkerung, Wirtschaft, Ressourcen, Umwelt usw.

Nun stehen wir scheinbar vor einem riesigen Berg Problemen. Der Berg ist aber nur scheinbar riesig groß, denn das Einzige was wir tun können, ist unsere Gefühle und unser Denken zu ändern!! Jeder für sich, Jetzt!

Jeder der seine Gefühle und sein Denken JETZT ändert, bringt über das allgemeine Bewußtseinsfeld eine Lawine ins Rollen. Das funktioniert auch, wenn derjenige gar nicht mit anderen Menschen über seine neue Sichtweise sprechen würde! Allein die Schwingung desjenigen, der seine Gefühle und Gedanken geändert hat, sind hier entscheidend! Tja, für das Ego ist das nicht so spannend, das Ego kann sich hierbei so gar nicht produzieren und in heldenhafter Weise behaupten es hätte ganz alleine die Welt gerettet. Diese Revolution geschieht ganz sanft, aber machtvoll, aus dem Herzen des Spirits, den wir alle verkörpern.

Ich möchte mit den Worten von Dorothy Cooke schließen:

Love one another,

Love the Spirit,

Love creation, all of it's parts,

Be grateful.

Always THINK POSITIVE (in possibilities)! Never, ever negative!

Danksagung

Ich möchte hiermit meinem Lebensgefährten und Partner **Robert** danken, der mich seit fast 2 Jahrzehnten durch alle Höhen und Tiefen begleitet und unterstützt hat.

Weiterhin meinem Sohn **Pascal**, der jederzeit ein offenes Ohr für mich hat und mit zahlreichen Ideen an diesem Werk mitgewirkt hat.